JN001603

作り方＆ポイントが基礎からわかる

Python × Excel で作る

かんたん 自動化ツール

リブロワークス 著

日経BP

本書のプログラムの見方

本書では、プログラムを以下のような形式で掲載しています。プログラムの左端の3桁の数字は行番号なので、入力は不要です。見出しの「○○○.py」はサンプルファイルのファイル名です（下記参照）。

■ c2-2-1.py

```
001  tax = 0.1
002  print(tax)
```

プログラムの実行には、P.19で解説しているIDLEを使う方法か、P.22で解説しているVSCodeを使う方法を推奨します。

サンプルファイルのダウンロード

本書で解説しているプログラムのサンプルファイルは以下のURLからダウンロードできます。

https://nkbp.jp/3FWfvma

ご注意

● 本書はPythonのバージョン3.10系（3.10.x系）に対応しています。使用しているのは、バージョン3.10.4です。

● 本書に掲載しているExcelの画面は、Windows 10上で動作するMicrosoft 365版のExcelのものです。OSの環境やExcelのバージョンにより、画面や動作が変わることがあります。

● 本書の内容は、2022年5月時点の情報です。Pythonおよび利用環境のアップデートなどにより、画面や動作が変わることがあります。

はじめに

　新型コロナウイルスの感染拡大を契機に、働く環境のデジタル化（デジタルトランスフォーメーション＝DX）が強く求められるようになりました。また、小学校でプログラミング教育が必修化されたこともあって、「これからの時代を生きるには大人も子どももプログラミングを学ぶことが重要」という意識が広がってきています。皆さんの中にも、自分はプログラマーではないけれど、時代に追い付くためにプログラミングの基礎を学びたいと、この本を手に取られた方がいるかもしれません。

　論理的な思考力が身に付く、最新の技術を理解する助けになるなど、プログラミングを学ぶことの利点は数多く挙げられます。そしてビジネスパーソンにとっては、普段のビジネスに直接的に役立つ大きな利点があります。プログラムを書くことができれば、現在自分が行っている業務を自動化してコンピューターという労働力に任せて、もっと優先度が高く重要な仕事をするための時間を生み出せるのです。

　そのことから、プログラミングを学んで業務を自動化したいと考える人は多いのですが、ほとんどの場合「自分の業務を自動化すること」を目標に据えています。しかし、どうせ業務を自動化するなら、同じ職場で働いている部下や同僚などほかの人の業務もまとめて自動化してはどうでしょう。もっと多くの時間を生み出せるはずです。

　そこで本書では、プログラミング言語Python（パイソン）の基礎からスタートして、最終的にはそれをExcelと組み合わせて職場のみんなに広く使ってもらえる自動化ツールを作る方法までを学んでいきます。特に力を入れたのは、Pythonで作ったツールを職場のみんなに使ってもらうための以下のような工夫です。

・だれでも使えるExcelを使って入力・設定を行う方法
・Pythonがインストールされていない環境でもプログラムを実行する方法
・だれにでも理解できるエラーメッセージの書き方

　本書の内容をマスターすれば、自分にとって便利なのはもちろん、同じチームで働くみんなに貢献できる自動化ツールを作れるようになります。プログラミング未経験でも大丈夫。PythonとExcelを駆使して、職場のヒーローになりましょう。

リブロワークス

CONTENTS

第3章 Pythonで Excelを操作する ················· **67**

CONTENTS

6

第**1**章

▼

Python×Excelで
職場のヒーローに!

▲

Python×Excel

Section 01 習得しやすく応用しやすい プログラミング言語Python

　近年、デジタル技術によって業務を変革するDX(デジタルトランスフォーメーション)の必要性が認識されるにつれて、専業のプログラマー以外のビジネスパーソンも「プログラミング的思考」を身に付けることを求められるようになりました。

　では、私たちが身に付けるべきとされている「プログラミング的思考」とはどのようなものなのでしょうか。2020年度からプログラミング教育が必修化されるのに先立って文部科学省がまとめた資料では次のように定義されています。

プログラミング的思考とは

自分が意図する一連の活動を実現するために、**どのような動きの組合せが必要であり**、一つ一つの動きに対応した記号を、**どのように組み合わせたらいいのか**、記号の組合せをどのように改善していけば、より意図した活動に近づくのか、といったことを**論理的に考えていく力**

　短くいえば、「自分がやりたいことをやるには何が必要かを考え、コンピューターに上手に指示を出す力」です。

　ここで「記号」という言葉が使われているのは、小学校でプログラミングを学ぶ教材として、コンピューターへの命令が書かれた記号をブロックのように組み合わせるビジュアル型プログラミング言語というものが使われることが多いからです。下の図は、正三角形を書くプログラムとして紹介されている例です。

ペンを下ろす

3回繰り返す

長さ100進む
左に120度曲がる

　ビジネスパーソンが「コンピューターに上手に指示を出す技術」であるプログラミングを学ぶことは、直接的にも間接的にも普段の業務に役立つ効果があります。直接的な効果としては、プログラムによって自分が行っている作業を自動化できることが挙げられます。そして、間接的な効果としては、他の人に的確に仕事を依頼できるようになったり、論理的な考え方が身に付いたりすることが挙げられるでしょう。

　本書ではこのうち「プログラムによる作業の自動化」という直接的な効果を特に重視します。

コンピューターにみんなの仕事を奪ってもらう

　「プログラムによる作業の自動化」とは、行うべき作業をコンピューターに命じて人間の代わりに働いてもらうことです。コンピューターは人間と比べてはるかに高速に、しかも電源がある限り休まず働いてくれるので、うまく作業を命じることができれば人間の数百倍の効率で仕事を終わらせてくれます。プログラミングを学べば、自分が行っている作業の一部をコンピューターに任せて、もっと優先度が高く重要な仕事をするための時間を生み出せるのです。

　しかし、あなたが上司や部下、同僚など他の人と働いている場合は、あなた1人の作業だけを自動化するのではなく他の人にもそのプログラムを使ってもらってみんなの作業をまとめて自動化すれば、削減できる時間はもっと大きくなるはずです。マーケティング部が行っているインターネットでの市場調査を自動化したり、営業部が行っているメール送信を自動化したり、プログラミングを通して社内でたくさんの時間を生み出すことができれば、職場のヒーローになることも夢ではありません。

　本書では、プログラミング言語Python（パイソン）の基礎を学ぶだけでなく、それをExcelと組み合わせて他の人にも使ってもらえるツールを作ることを目指します。

なぜPythonなのか

　コンピューターはさまざまなプログラミング言語を理解できるので、コンピューターに指示を出す私たちはどの言語で指示をするか選択しなければいけません。プログラミング言語の総数は数百にも上るといわれていますが、本書ではPythonという言語を学んでいきます。

　Pythonは1991年に最初にリリースされた、30年以上の歴史を持つプログラミング言語です。日本では、機械学習やデータサイエンスの分野で使われる言語として2010年代後半から広く知られるようになりました。本書でプログラミングを学ぶに当たってPythonを採用した理由は次の2つです。

- 仕様がシンプルで学習しやすい
- 多くの用途に使える

仕様がシンプルで学習しやすい

　Pythonには、「Python公案」と呼ばれるPythonの哲学を表現した詩のようなものがあります。その中には「Simple is better than complex. Complex is better than complicated.」(単純であることは複雑であることよりも良い。複雑であることは難解であることよりも良い) という一節があります。ここでいわれているのは、Pythonは可能な限りシンプルな書き方ができるよう工夫されているということです。

　シンプルであることは、読みやすく、また学習がしやすいことにもつながります。

　Python公案の全文が気になった方はP.20で説明するIDLEのシェルウィンドウに「import this」と入力してみてください。

多くの用途に使える

　先ほども書いたようにPythonは機械学習やデータサイエンスの分野で使われている言語ですが、それらの用途に限定されるわけではありません。Pythonは、私たちがコンピューターで普段行うようなファイルをコピーする、メールを送るなどの作業から高度な科学技術計算まで、幅広い仕事をこなすことができます。

　Pythonがそれだけ多くの機能を備えているのは、ライブラリという部品の中から自分が使いたいものを選択できる仕組みになっているからです。本書では、ファイル・フォルダーを操作するもの、Webページを解析するもの、Excelファイルを操作するものなどさまざまなライブラリの使い方を紹介します。

なぜPythonとExcelを組み合わせるのか

　Pythonの基礎を学んでプログラムを書けるようになれば、自分の業務を自動化するツールを開発できるようになります。しかし、そのツールを他の人に使ってもらうためには個々人がやりたいことに合わせて細かなカスタマイズが必要です。例えば、本書の8章ではメールの送信を自動化するツールを作ります。このとき、メールを送りたい相手や内容を変えられるようにしておかないと、決まった人に決まった文面のメールを送るだけのプログラムになってしまいます。

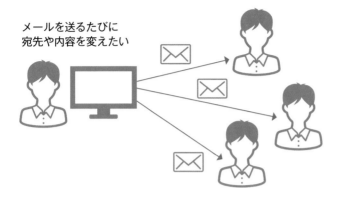

メールを送るたびに
宛先や内容を変えたい

　Pythonだけで作られたツールの場合、カスタマイズするにはPythonのプログラム
の意味を理解して、適切な部分を書き換えなければいけません。下記のコードは
Gmailを使って「お世話になっております」というメールを送るだけのシンプルなプ
ログラムですが、メールの送信先や内容を変えたい場合はどこをどう書き換えればよ
いかわかるでしょうか。

　なお、プログラムの書き方はこの後に学んでいくので、今の時点では書かれている
ことの意味がわからなくてもまったく問題ありません。

■ send_mail_simple.py

```
001  from http import server
002  from email.mime.text import MIMEText
003  import smtplib
004  import ssl
005
006
007  from_address = 'example@gmail.com'
008  password = 'aaaabbbbccccdddd'
009  server = smtplib.SMTP_SSL(
010      'smtp.gmail.com', 465,
011      context=ssl.create_default_context())
012  server.set_debuglevel(0)
013  server.login(from_address,
014              password)
015  message = MIMEText('お世話になっております。', 'html')
016  message['From'] = from_address
017  message['Subject'] = '【先日のお礼】'
```

```
018 message['To'] = 'example1@gmail.com'
019 server.send_message(message)
```

　このプログラムでは、7行目で送信元のメールアドレスを、8行目でGmailのアプリパスワード（ログインパスワードとは異なる。詳しくはP.199で解説）を設定しています。15行目でメール本文、17行目でメール件名、18行目で宛先メールアドレスを書いているので、メールを送るたびにこれらの部分を書き換えなければいけません。プログラムを書いた本人であれば簡単かもしれませんが、他の人にその作業をしてもらうのは困難な場合が多いでしょう。

■ send_mail_simple.py

```
    ……省略……
007 from_address = 'example@gmail.com' ……………………… 送信元メールアドレス
008 password = 'aaaabbbbccccdddd' ………………………… アプリパスワード
    ……省略……
015 message = MIMEText('お世話になっております。', 'html') ……………… メール本文
    ……省略……
017 message['Subject'] = '【先日のお礼】' ……………………… メール件名
018 message['To'] = 'example1@gmail.com' ………………… 宛先メールアドレス
    ……省略……
```

　これにカスタマイズ性を持たせるために、本書ではPythonのプログラムをExcelと組み合わせて使います。詳しい手順は4章以降で説明しますが、簡単にいえばプログラムを実行するたびに変更したい部分（メール送信の例でいえば宛先や内容）をExcelファイルで書き込むようにすることで、Pythonのプログラムが書けない人でも簡単にツールをカスタマイズできるようになります。

Excelファイルのセルを変更してツールをカスタマイズする

Section 02 Pythonを開発・実行する環境を整える

　それでは、Pythonのプログラムを開発して実行するための準備をしていきます。以下のURLからPythonの公式ホームページにアクセスして、インストーラーをダウンロードします。下図ではPython 3.10.4をインストールしていますが、より新しいバージョン（3.10.x）でも問題ありません。

https://www.python.org/downloads/

[Download Python 3.10.x]をクリック

　ダウンロードが完了したら、［ファイルを開く］をクリックしてインストーラーを実行します。

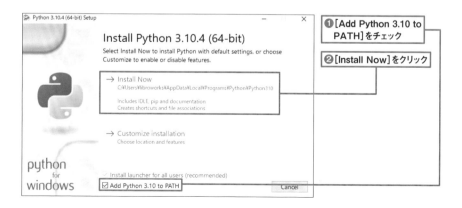

❶[Add Python 3.10 to PATH]をチェック

❷[Install Now]をクリック

インストールが完了すると、プログラムを解読してコンピューターに指示を出すインタプリターというソフトウェアや、さまざまな標準ライブラリ（P.60参照）が利用できるようになります。

VSCodeをインストールする

インストールしたPythonにはプログラムの開発・実行を行うためのIDLE（アイドル）というツールが付属しているので、これを使ってすぐに本書のプログラムを書いて実行することもできます。しかし、IDLEはテキストエディターとしての最小限の機能しか備えておらず、初めてPythonのプログラムを書く人にとってはその点が物足りなく感じるかもしれません。

ここでは、Pythonのプログラム開発を支援するさまざまな機能を備えた、Visual Studio Code（以下、VSCode）というテキストエディターをインストールする手順を紹介します。

以下のURLからVSCodeの公式ダウンロードページにアクセスして、インストーラーをダウンロードしてください。

https://code.visualstudio.com/

ダウンロードしたファイルを実行して、インストールを進めます。最初の画面で使用許諾に同意した後、［次へ］をクリックしていけばOKです。

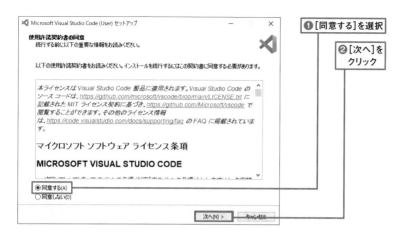

インストールが完了すると、自動的にVSCodeが起動します。

VSCodeを日本語化する

VSCodeの大きな特徴は、さまざまな拡張機能をインストールして自分の用途に合った機能を追加していくことができる点です。最初の拡張機能として、表示言語を日本語に切り替えるJapanese Language Pack for VS Codeをインストールしてみましょう。

画面左側にある［Extentions（拡張機能）］のアイコンをクリックして、拡張機能をインストールするMarketplaceを開きます。

Marketplaceの検索欄に「japanese」と入力して拡張機能を検索しJapanese Language Pack for VS Codeが見つかったら［Install］ボタンを押してインストールします。

　拡張機能がインストールできたら、画面右下にVSCodeを再起動することを勧める
ダイアログウィンドウが表示されます。[Restart]をクリックしてVSCodeが再起動
すると、表示言語が日本語に変わっています。

Pythonのプログラミングに役立つ機能を追加する

　VSCodeには、プログラムを書くのに役立つさまざまな入力支援機能があります。
その中の代表的なものが、プログラムに関わる語句の一部を入力すると、それに基づ
く入力候補を表示してくれるコード補完です。
　次の図では、「pr」と入力したときにコード補完によって「print」「property」など
の語句が入力候補として表示されています。

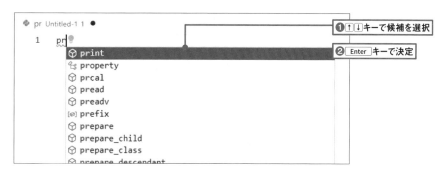

VSCodeをインストールした時点ではJavaScriptなど一部の言語でしかコード補完ができませんが、言語ごとの拡張機能をインストールすることで、Pythonなど他の言語でもコード補完を使えるようになります。

マーケットプレースから拡張機能Pythonをインストールしましょう。

インストールが完了すれば、Pythonでコード補完などの便利な入力支援機能が使えるようになります。

Pythonファイルを作成、実行する

これからPythonでのプログラミングを学んでいくに当たって、Pythonファイルを作成して実行する方法を紹介します。IDLEを使う方法とVSCodeを使う方法の2つを紹介するので、好みのほうを選択してください。

IDLEを使う方法

IDLEはPythonに付属している開発・実行ツールです。タスクバーの検索ボックスで「idle」と検索して起動してみましょう。

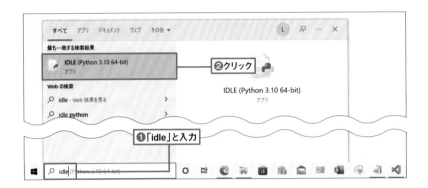

　IDLEが起動すると、最初にシェルウィンドウという画面が立ち上がります。ここに直接Pythonのプログラムを入力することもできますが、ここではPythonファイルを作成する方法を紹介します。

　シェルウィンドウの上のメニューバーで［File］→［New File］を選ぶと、新しいファイルを編集するためのエディターウィンドウが開きます。

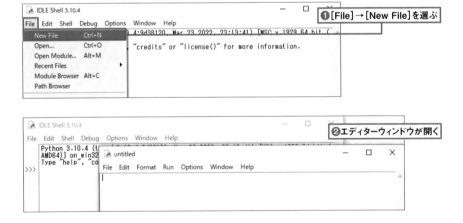

　エディターウィンドウが開いたら、すべて半角で「print ('Python Excel')」と入力します。このプログラムの意味は後で解説します。入力が終わったら［File］→［Save As］を選んでファイルを保存してください。Pythonファイルは「.py」という拡張子で保存します。

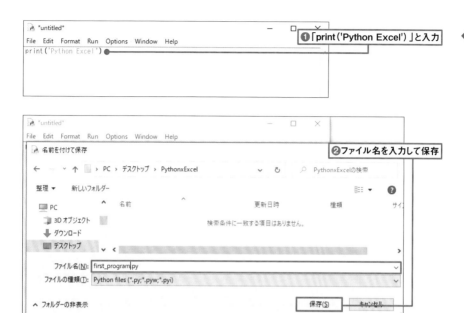

❶「print('Python Excel')」と入力

❷ファイル名を入力して保存

ファイルが保存できたら、メニューバーで [Run] → [Run Module] を選ぶか、F5 キーを押して実行します。シェルウィンドウに「Python Excel」と表示されたら、実行が完了したことがわかります。

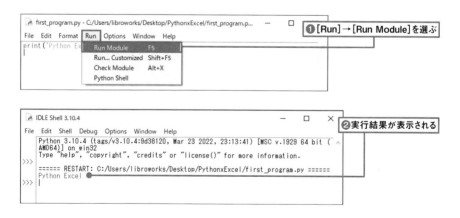

❶[Run]→[Run Module]を選ぶ

❷実行結果が表示される

シェルウィンドウ、またはエディターウィンドウで［File］→［Open...］を選ぶと、すでにあるPythonファイルを選択して開くこともできます。

VSCodeを使う方法

VSCodeでは、個別のファイルを1つずつ開くこともできますが、必要なファイルがまとめられたフォルダーを開くことでより効率的に作業できます。画面上部のメニューバーから［ファイル］-［フォルダーを開く］をクリックして、開きたいフォルダーを選択しましょう。

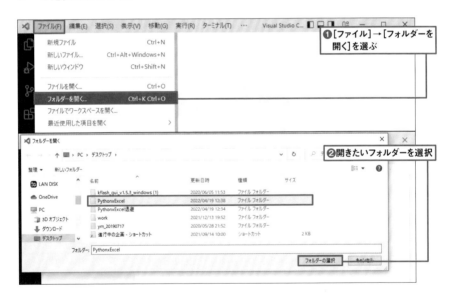

　画面左側にフォルダーの内容が表示されたら、フォルダー名の横にマウスカーソルを合わせて［新しいファイル］アイコンをクリックしてファイルを作成します。拡張子を「.py」にするとVSCodeが自動的にPythonファイルとして認識してくれます。

　これでPythonファイルを作成できました。次に、Pythonファイルを保存して実行してみましょう。下図のようにPythonファイルにすべて半角で「print ('Python Excel')」と入力してからファイルを保存します。

　画面上部のメニューバーで［実行］→［デバッグの開始］を選びましょう。どんな形式でデバッグを行うかを選択するよう求められるので［Python File］を選択すると、Pythonファイルが実行されます。

　実行されたら、画面下に表示される［ターミナル］タブに［Python Excel］という文字が表示されたことを確認してください。

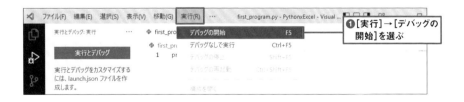

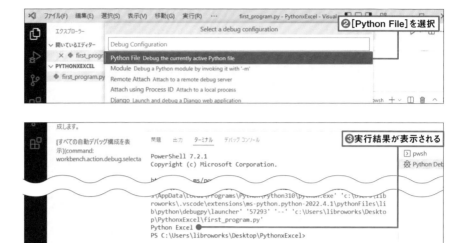

❷[Python File]を選択

❸実行結果が表示される

VSCodeで実行する場合の注意

VSCodeでPythonプログラムを実行するときは、そのファイルが保存されているフォルダーを開いた状態で実行するようにしてください。VSCodeがファイルを開いたり読み書きしたりするときは常に開いているフォルダーの場所を基にするので、プログラムが置かれているフォルダーとVSCodeで開いているフォルダーが異なる場合は、Pythonファイルから他のファイルを参照するプログラムでFileNotFoundError（P.127）というエラーが発生する場合があります。

Pythonファイルがあるフォルダーを開いて実行する

Pythonの基礎の基礎

Python×Excel

データの型を意識する

Pythonをはじめとするプログラミング言語は、すべてコンピューターに対して命令をするための言語です。対象が人間ではなくコンピューターなので、コンピューターに伝わる言葉で書かなくてはなりません。

しかし、人間と同じでコンピューターも、ただ「足し算しろ」「表示しろ」と命令だけ与えられても何もできません。コンピューターに作業を行わせるには、「4と2を足し算しろ」「'Python'という文字を表示しろ」というようにデータと命令をセットで指定する必要があります。

4章で、命令をPythonで、データをExcelで指定するプログラムの作り方を学びますが、ここではPythonがさまざまなデータをどのように扱うかを見ていきましょう。

データには型がある

Pythonで扱うデータは、「4」「2」などの整数はint型、「3.14」などの小数はfloat型、「Python」などの文字列はstr型というように、それぞれの型（かた）が決まっています。

プログラムがデータに対してどんな命令を実行できるかは、型によって異なります。例えば、2つの整数を使って引き算、割り算などの四則演算をすることはできますが、2つの文字列を使ってはできない、といった具合です。

早速、数値や文字列のデータだけからなるプログラムを書いて実行してみましょう。Pythonのプログラムの中で、文字列のデータを表現するには、半角のシングルクォーテーション（'）かダブルクォーテーション（"）で囲みます。

■ c2-1-1.py

```
001  4 ························· 整数
002  'Python'················· 文字列
```

2章
Pythonの基礎の基礎

実行してもエラーにはなりませんが、画面には何も表示されません。
次は、データと一緒に「画面に表示しろ」という命令も書きます。数値や文字列の前に「print（」、後ろに「）」を入力して、もう一度実行してみましょう。

■ c2-1-2.py

```
001  print(4) ················· 整数
002  print('Python') ····· 文字列
```

■ 実行結果

```
4
Python
```

実行結果が表示されました。先ほどのコードで書いた「print ()」はprint関数（プリントかんすう）という命令で、Pythonに初めから備わっている組み込み関数の1つです。組み込み関数については、P.34でより詳しく見ていきます。

データを演算する

先ほども書いたように、データが数値同士なら、基本的な四則演算が行えます。「+」や「-」など、演算に使う記号は演算子（えんざんし）と呼びます。
print関数でそれぞれの演算の結果を表示してみましょう。掛け算の演算子は「*」（半角アスタリスク）、割り算の演算子は「/」（半角スラッシュ）で表現します。

■ c2-1-3.py

```
001  print(4 + 2) ·········· 足し算
002  print(4 - 2) ·········· 引き算
003  print(4 * 2) ·········· 掛け算
004  print(4 / 2) ·········· 割り算
```

27

■ 実行結果

```
6
2
8
2
```

　しかし、数値と文字列の足し算はできないのでエラーが発生します。「2」という数字でも、半角のシングルクォーテーション (') で囲めば文字列として扱われることに注意してください。

■ c2-1-4.py

```
001  print(4 + '2')
```

■ 実行結果

```
Traceback (most recent call last):
  File "/Users/libroworks/Documents/nikkeiBP_Python_Excel/c2-1-4.py", line 1, in
<module>
    print(4 + '2')
TypeError: unsupported operand type(s) for +: 'int' and 'str'
```

　エラーが発生するといきなり複数行の英文が表示されるので初めは驚くかもしれませんが、このメッセージにはエラーを解決するためのさまざまな情報が含まれているので、少し丁寧に見てみましょう。

■ 実行結果

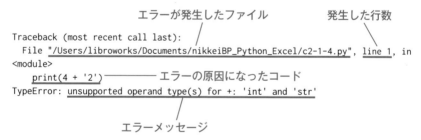

　今回は、「print (4 + '2')」の部分で、「int型とstr型のデータを演算子+で演算したこと」が原因でエラーが発生したことがわかります。

データの型を変換する

データの型は不変ではなく、後から変換することも可能です。

型の変換には関数を使います。例えばint関数は、名前の通りデータの型をint型に変換する組み込み関数です。先ほどのプログラムで、int関数を使って文字列'2'を数値に変換してから足し算を行ってみましょう。

■ c2-1-5.py

```
001  print(4 + int('2'))
```

■ 実行結果

```
6
```

逆に、str関数を使えば数値をstr型に変換できます。文字列同士を演算子+でつなぐと文字列を連結できるので、次のプログラムを実行すると、文字列としての「4」と「2」を連結した結果が表示されます。

■ c2-1-6.py

```
001  print(str(4) + '2')
```

■ 実行結果

```
42
```

このように、Pythonではデータの型によって行える処理が決まっているので、扱っているデータの型を意識する必要があります。

MEMO print (4 + int ('2')) というプログラムでは、演算子+の演算が行われる前に右辺のint関数が実行されましたが、これはPythonではカッコの処理が優先して行われるためです。

Section 02 大事なデータは 変数に記憶させる

　プログラムの中で何度も利用するような大事なデータがある場合、変数（へんすう）という仕組みを使います。

　例えば、プログラムの中で消費税率が使われている場合を考えてみましょう。消費税の計算を行うたびに2022年5月時点の消費税率である「0.1」（10%）をプログラムに記述していると、将来的に消費税率が変更になった場合には消費税率を意味する「0.1」という数値をすべて書き換える必要が出てきます。

修正が必要な箇所

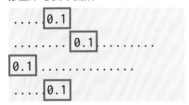

　消費税の計算を何度も行っている場合、すべての数値を書き換えるには大変な手間がかかってしまいますが、変数という仕組みを利用すればこのような修正の手間がほとんどなくなります。

　変数とは、データを入れておくための箱のようなもので、この箱に入れたデータは必要になったときにいつでも取り出すことができます。

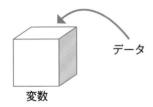

　消費税率の例でいえば、初めに変数の箱を作ってその中に0.1という数値を入れ、あとは消費税の計算を行うたびに変数を呼び出すようにしておけば、消費税率が変わった場合でも最初に入れる数値だけを書き換えればよいことになります。

修正が必要な箇所（変数を使う場合）

変数は 0.1
.....変数
.........変数.........
変数.............
.....変数

変数にデータを「代入」する

　プログラムで変数にデータを入れるには、演算子「=」を使って以下のように書きます。ここでは、taxという名前の変数に数値0.1を入れてみましょう。

■ c2-2-1.py

```
001  tax = 0.1
002  print(tax)
```

■ 実行結果

```
0.1
```

　変数にデータを入れることを代入（だいにゅう）、変数に入れたデータを利用することを参照といいます。先ほどのプログラムでは、1行目で変数taxを作成して数値0.1を代入し、2行目で変数taxを参照しています。

　print関数のカッコの中に変数の名前を書くと、実行結果は変数の名前（tax）ではなく「0.1」と出力されました。このことから、変数taxには数値0.1が代入されていることがわかります。

MEMO

算数や数学では「=」は右辺と左辺が等しいことを表すので戸惑った方もいるかもしれませんが、Pythonを含め多くのプログラミング言語では「=」は「左に書かれたものに右に書かれたものを代入する」という意味で使われます。

　プログラミング言語によっては、変数の作成と変数へのデータの代入を別々に行うものもありますが、Pythonではそれまで登場していない変数にデータを代入すると自動的に変数が作成されます。前ページのプログラムでは、1行目の「tax = 0.1」で自動的に変数taxが作成されています。

　それに対して、一度データを代入した変数に別のデータを代入すると、中身が置き換えられます。次のプログラムを実行してみましょう。

■ c2-2-2.py

```
001  tax = 0.1
002  print(tax)
003  tax = 0.08
004  print(tax)
```

■ 実行結果

```
0.1
0.08
```

　2行目で参照した時点では変数taxには数値0.1が入っていましたが、4行目で参照するときには中身が数値0.08に上書きされています。このように、変数にデータを入れ直すと前のデータは失われてしまうので注意してください。

変数に名前を付けるときのルール

　変数には自分で名前を付ける（命名する）ことができますが、以下のように守らなければいけない3つのルールがあります。

・半角のアルファベット、アンダースコア (_)、数字を組み合わせる

　変数名には、アルファベット小文字 (a〜z)、大文字 (A〜Z)、数字 (0〜9) とアンダースコア (_) を使用します。アンダースコアは、例えば「tax_rate」のように2つ以上の英単語を組み合わせる場合などに使います。

・1文字目が数字であってはいけない

　変数名の先頭は数字が禁止されています。数値と見分けが付かないため、「100」など数字だけの名前を付けることもできません。

- 予約語（キーワード）と同じ名前であってはいけない

　予約語とは、Pythonにおいて特別な意味を持つ単語のことです。inやisなど演算子として使われているものや、繰り返しのfor、条件式のifのように制御構文として使われているものなど、さまざまなものがあります。

■ 予約語一覧

and	as	assert	async	await
break	class	continue	def	del
elif	else	except	False	finally
for	from	global	if	import
in	is	lambda	None	nonlocal
not	or	pass	raise	return
True	try	while	with	yield

わかりやすい変数名を付ける

　先ほど紹介した3つのルールは、守らなければエラーが発生する禁止事項でしたが、変数に名前を付けるときは次の3つの慣習も意識すると、より良いプログラムにすることができます。

- 入っているデータが想像しやすい名前を付ける

　「a」などアルファベット1文字だけの変数名を付けることもできますが、そこにどんなデータが入っているのかわかりづらくなってしまいます。

- できるだけ小文字アルファベットの英単語で構成する
- 複数の英単語を組み合わせるときはアンダースコア（_）でつなぐ

　例えば、税率を表す変数名は「tax_rate」、社員の名前を代入する変数名は「employee_name」のように命名するとよいでしょう。

MEMO

上のように小文字のアルファベットの英単語をアンダースコア（_）でつないだかたちで命名する方法を、変数名が地面をはう蛇のように見えることから**スネークケース**といいます。

便利な関数・メソッドを呼び出す

　これまで、print関数やstr関数など、関数という言葉が何度か登場しました。関数とは、「画面に表示する」「データをstr型に変換する」などの一連の処理を1つにまとめたものであり、特にPythonに最初から備わっている関数を組み込み関数といいます。

　私たちは関数を呼び出すことで、その中に登録されている処理の詳細を知らなくてもコンピューターに対して「画面に表示する」などの命令ができます。

　str関数を例に、関数の呼び出し方について復習しておきましょう。ここでは、str型に変換したデータを変数に代入してから表示しています。

■ c2-3-1.py
```
001  text = str(1000)
002  print(text)
```

■ 実行結果
```
1000
```

　1行目で、str関数の後ろにカッコを書いてデータ（整数1000）を渡し、str型に変換されたデータ（文字列'1000'）を変数textに代入しています。このように関数は、カッコ内に書かれたデータを受け取って、データに処理をしてから返してくる、ブラックボックスのようなものと考えることができます。

　ここで、関数に渡すデータを引数（ひきすう）、関数が返すデータを戻り値（もどりち）といいます。

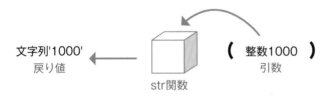

文字列'1000'
戻り値

str関数

(整数1000)
引数

関数を呼び出すときに知っておくべきことは、どんな型の引数を受け取るか、そしてどんな型の戻り値を返すかという2点です。この2点を知っておけば、中でどんな処理が行われているかを詳しく知らなくても関数を呼び出すことができます。

データから呼び出すメソッド

関数と似た仕組みに、メソッドというものがあります。引数を受け取って戻り値を返すという点は関数と共通していますが、メソッドはあるデータから呼び出すもので、必ず「データ.メソッド ()」という書き方をします。

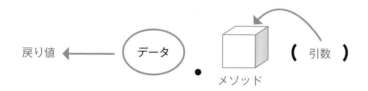

メソッドはデータから呼び出すものなので、str型、int型などのデータの型ごとに使えるメソッドが決まっています。

メソッドの最初の例として、str型のcapitalizeメソッドを呼び出してみましょう。このメソッドは引数を受け取らず、文字列の最初の文字を大文字に、それ以外を小文字にして返します。引数を1つも渡さない場合も、メソッド名の後ろにカッコを書く必要があることに注意してください。

■ c2-3-2.py
```
001  capitalized_text = 'nikkei'.capitalize()
002  print(capitalized_text)
```

■ 実行結果
```
Nikkei
```

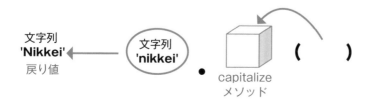

複数の引数を渡す

関数やメソッドの中には、1つだけでなく複数の引数を受け取るものもあります。

例えば、文字列のreplaceメソッドは、2つの文字列を受け取り、1つめの文字列を2つめの文字列に変更するメソッドです。

関数やメソッドに複数の引数を渡すには、カッコの中にカンマで区切って複数のデータを書きます。

■ c2-3-3.py

```
001  replaced_text = 'デジタルトランスフォーメーション担当部署'.replace('デジタルトラ
     ンスフォーメーション', 'DX')
002  print(replaced_text)
```

■ 実行結果

```
DX担当部署
```

自由に数を変えられる、可変長引数

これまで実行結果を画面に表示するために使っていたprint関数は、実は可変長引数というものを受け取れる特殊な関数です。可変長引数は、カンマで区切った引数を必要なだけいくつでも受け取ることができます。

■ c2-3-4.py

```
001  tax_rate = 0.1
002  print('変数tax_rateの値は', tax_rate)
```

■ 実行結果

```
変数tax_rateの値は 0.1
```

print関数は型が異なるデータを複数受け取ることもできます。このように文字列と数値を同時に表示したいとき、カンマで区切って渡せば数値をstr関数で文字列に変換しなくても画面に表示できることを知っておくと便利です。

ユーザーからの入力を受け付ける

　ここまで書いてきたプログラムはすべて、一度実行すればあらかじめ書かれた処理を実行して結果を表示するだけのものでした。しかし、私たちが日常で使うシステムのほとんどは、ボタンの操作や文字の入力というかたちでユーザーからの入力を受け付けて、それに応じて動作が変わる対話型のシステムです。

　例えば、電車の駅などに設置されている自動券売機を例に考えてみましょう。

　券売機には最初に、切符を購入するかICカードにお金をチャージするかを選択する画面が表示されていて、ユーザーがどちらかを選択した後で、その次の処理が実行されます。

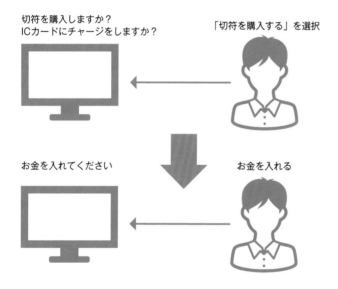

切符を購入しますか？
ICカードにチャージをしますか？

「切符を購入する」を選択

お金を入れてください

お金を入れる

　対話型のシステムとは、このようにユーザーからの入力を受け取る機能を持つプログラムです。

　本書の4章からは「職場のみんなが使えるツール」を作る方法を学んでいきますが、そこでも対話型のシステムという考え方はとても重要になります。

　ここでは、簡単な対話型のシステムを作る方法として、input関数でユーザーからの文字列の入力を受け付ける方法を紹介します。input関数が実行されると、プログラムはユーザーからの入力を受け付ける状態になり、入力が終わるとその文字列を戻り値として返します。

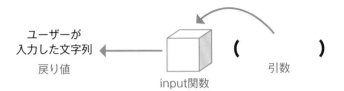

それでは、次のプログラムを実行して、input関数がどのように動作するか確かめてみましょう。

■ c2-3-5.py

```
001  input_text = input()
002  print(input_text, 'が入力されました')
```

■ 実行結果

```
*IDLE Shell 3.10.2*                                    —   □   ×
File  Edit  Shell  Debug  Options  Window  Help
     Python 3.10.2 (tags/v3.10.2:a58ebcc, Jan 17 2022, 14:12:15) [MSC v.1929 64 bit (
     AMD64)] on win32
     Type "help", "copyright", "credits" or "license()" for more information.
>>>
     ========== RESTART: C:¥Users¥libroworks¥Desktop¥PythonxExcel¥c2-3-5.py ==========
```

実行しただけでは何も表示されませんが、何か文字列を入力して Enter キーを押すと、その文字列が表示されます。

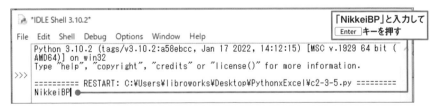

つまり、プログラムは1行目のinput関数を実行した時点でユーザーの入力を待つ状態になり、ユーザーが何かを入力し Enter キーを押した後に次の処理に移ります。

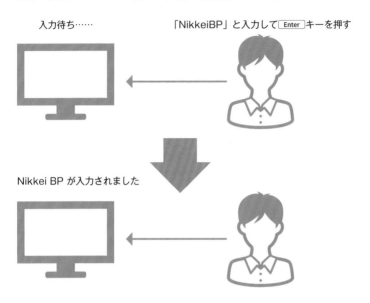

入力待ち……　　　　　　　　「NikkeiBP」と入力して Enter キーを押す

Nikkei BP が入力されました

入力を促すメッセージを表示する

input関数は、先ほどのように引数なしでも実行できますが、引数として文字列を渡すことでユーザーに入力を促すメッセージを表示させることができます。

例えば、ユーザーが入力した整数を2倍にして表示するプログラムを作る場合、次のようなメッセージを書いておくとユーザーは何を入力すればいいかがわかりやすくなります。

input関数の戻り値は文字列なので、数値計算をする場合はint関数で変換する必要があることに注意しましょう。

■ c2-3-6.py

```
001  input_number = input('入力された整数を2倍にします: ')
002  print('2倍にすると', int(input_number) * 2, 'です')
```

■ 実行結果

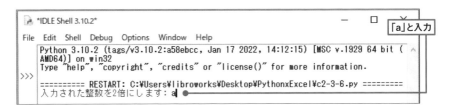

不正な値を入力するとエラーが発生する

先ほどのプログラムはユーザーに数値を入力してもらうことを想定していました
が、ユーザーが間違ってアルファベットなどの文字列を入力してしまうとどうなるで
しょうか？　実際に試してみましょう。

エラーが発生し、エラーメッセージが表示されました。

　メッセージの内容をよく見ると、2行目のint関数で文字列'a'を数値に変換できずにエラーが発生したことがわかります。

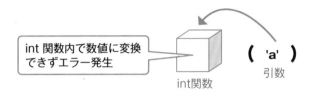

int関数内で数値に変換
できずエラー発生

int関数

('a')

引数

　このように、ユーザーからの入力や操作を受け付ける対話型のシステムでは、ユーザーがこちらが想定していないデータを入力するなどの原因でエラーが発生することがあります。

　エラーが発生するとプログラムの動作が止まってエラーメッセージが表示されるので、ユーザーは戸惑ってしまうでしょう。プログラムを作った本人でさえエラーが発生すると戸惑ってしまうのですから無理はありません。

```
Traceback (most recent call last):
  File "C:\Users\libroworks\Desktop\Python
xExcel\c2-3-6.py", line 2, in <module>
    print('2倍にすると',
int(input_number) * 2, 'です')
ValueError: invalid literal for int() with
base 10: 'a'
```

　それを防ぐには、プログラムを作る段階でユーザーが誤ったデータを入力することも想定して、エラー処理の仕掛けを組み込んでおく必要があります。

　具体的なエラー処理の方法についてはP.127から解説していきますが、ここでは自分以外の人に使ってもらえるシステムを作るには、ユーザーがどんな操作をするかを想定しなければいけないということを覚えておいてください。

2章
Pythonの基礎の基礎

Section 04 条件によって行う処理を変える

Pythonで使用できる演算子は、四則演算を行う算術演算子（+、-、*、/）や、代入演算子（=）だけではありません。

ここでは、2つのデータを比較できる比較演算子を紹介しましょう。

主な比較演算子

演算子	意味	例
<	左辺は右辺より小さい	a < b
<=	左辺は右辺以下である	a <= b
>	左辺は右辺より大きい	a > b
>=	左辺は右辺以上である	a >= b
==	左辺と右辺は等しい	a == b
!=	左辺と右辺は等しくない	a != b

次のプログラムでは、1行目で数値3000が2500より大きいかどうか、2行目では小さいかどうかを求めています。どんな結果が表示されるでしょうか。

■ c2-4-1.py

```
001  print(3000 > 2500)
002  print(3000 < 2500)
```

■ 実行結果

```
True
False
```

結果として出力された「True」と「False」は、真偽値（しんぎち）という型のデータです。この型に属するデータには、ある条件に当てはまることを表すTrueと、逆に当てはまらないことを示すFalseの2つしかありません。

先ほどのプログラムでは、1行目に書かれた「3000 > 2500」（3000は2500より大きい）という式は正しいのでTrueという結果を返し、2行目に書かれた「3000 < 2500」（3000は2500より小さい）という式は正しくないのでFalseという結果を返してきました。

3000 > 2500 → 正しいので True

3000 < 2500 → 正しくないので False

このように、比較演算子は結果を真偽値で返します。

2つのデータが等しいかどうかを判定する

比較演算子で比較できるのは、数値だけではありません。例えば、文字列型の2つのデータが一致しているかどうかを判定することもできます。

次のプログラムは、ユーザーが特定の文字列を入力すればTrue、そうでなければFalseが出力されます。

■ c2-4-2.py

```
001  input_text = input('データを文字列に変換する関数の名前は？: ')
002  print(input_text == 'str')
```

■ 実行結果

```
File  Edit  Shell  Debug  Options  Window  Help
       Python 3.10.2 (tags/v3.10.2:a58ebcc, Jan 17 2022, 14:12:15) [MSC v.1929
       AMD64)] on win32
       Type "help", "copyright", "credits" or "license()" for more information.
>>>
       ========== RESTART: C:/Users/libroworks/Desktop/PythonxExcel/c2-4-2.py ==========
       データを文字列に変換する関数の名前は？: str
```

「str」と入力して Enter キーを押す

```
 IDLE Shell 3.10.2
File  Edit  Shell  Debug  Options  Window  Help
       Python 3.10.2 (tags/v3.10.2:a58ebcc, Jan 17 2022, 14:12:15) [MSC v.1929 64 bit (
       AMD64)] on win32
       Type "help", "copyright", "credits" or "license()" for more information.
>>>
       ========== RESTART: C:/Users/libroworks/Desktop/PythonxExcel/c2-4-2.py ==========
       データを文字列に変換する関数の名前は？: str
       True
>>>
```

「True」と出力される

比較演算子「==」は、「=」を2つ続けて書くことに注意してください。Pythonを含む多くのプログラミング言語では、代入演算子「=」と区別するために「イコール」を意味する演算子は「=」を複数書くことになっています。

プログラムの処理を枝分かれさせる

　ここまで書いてきたプログラムは、すべて書かれた処理を上から下へ実行していくものばかりでした。

　しかし、私たちが普段操作しているようなシステムでは、書かれている処理を読みとばしたり、同じ処理を何度も行ったりすることが欠かせません。

　P.37で考えた、自動券売機の例を思い出してください。

　券売機には最初に、切符を購入するかICカードにお金をチャージするかを選択する画面が表示されているという設定でしたが、この券売機はユーザーがどちらを選択したかによってそれ以降に実行する処理を変えなければいけません。

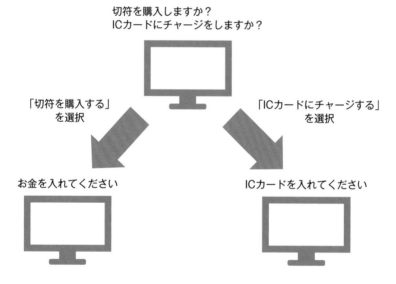

切符を購入しますか？
ICカードにチャージをしますか？

「切符を購入する」
を選択

「ICカードにチャージする」
を選択

お金を入れてください

ICカードを入れてください

　この動作を実現するには、プログラムの処理を枝分かれさせることが必須です。

　このように処理を枝分かれさせたい場合に使うのが、条件分岐です。条件分岐を使うと、ある条件に当てはまった場合と、当てはまらなかった場合とで、プログラムに別の処理を行わせることができます。

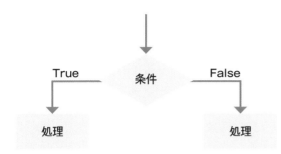

　そして、条件分岐において、条件に当てはまるかどうかの判定に使われるのが真偽値です。Trueの場合とFalseの場合とで別々の処理を行うことで、プログラムを枝分かれさせます。

　例えば、自動券売機の例では「『切符を購入する』が選択されたか？」を条件にして、Trueである場合とFalseである場合とで以下のように処理を変えることで枝分かれを実現できます。

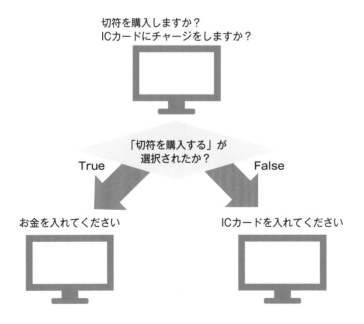

条件分岐を実現するif文

それでは、プログラムの中に条件分岐を書くための方法を見ていきましょう。

条件分岐を表すif文（イフぶん）は、ifというキーワード（P.33で説明した予約語と同じ意味）の後に半角スペースを1つ空けて、条件となる式を書き、行の終わりにコロン（：）を書くことで作成できます。

ifと条件を書いた次の行に、行の先頭から半角スペースを4つ空けて条件に当てはまった場合に実行する処理を書きます。

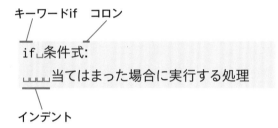

キーワードif　コロン

if␣条件式:
␣␣␣␣当てはまった場合に実行する処理

インデント

この半角スペース4つぶんの空きはインデントと呼ばれるものです。他の多くの言語ではインデントはプログラムの見た目を整えるために使われるもので、なくてもエラーなどは発生しませんが、Pythonではインデントが文法の要素として意味を持つので、ifの次の行には必ずインデントを入れなければいけません。

それでは、自動券売機の例をif文を使ったプログラムで実現してみましょう。次のプログラムを実行すると、「1」と入力した場合に3行目のprint関数が実行されます。

■ c2-4-3.py

```
001  input_text = input('切符の購入は半角の1、ICカードのチャージはそれ以外：')
002  if input_text == '1':
003      print('お金を入れてください')
```

■ 実行結果

「1」と入力して Enter キーを押す

```
File  Edit  Shell  Debug  Options  Window  Help
      Python 3.10.2 (tags/v3.10.2:a58ebcc, Jan 17 2022, 14:12:15) [MSC v.1929 64 bit (
      AMD64)] on win32
      Type "help", "copyright", "credits" or "license()" for more information.
>>>
      ========== RESTART: C:¥Users¥libroworks¥Desktop¥PythonxExcel¥c2-4-3.py ==========
      切符の購入は半角の1、ICカードのチャージはそれ以外: 1
```

```
File  Edit  Shell  Debug  Options  Window  Help
      Python 3.10.2 (tags/v3.10.2:a58ebcc, Jan 17 2022, 14:12:15) [MSC v.1928 64 bit (
      AMD64)] on win32
      Type "help", "copyright", "credits" or "license()" for more information.
>>>
      ========== RESTART: C:\Users\libroworks\Desktop\PythonxExcel\c2-4-3.py ==========
      切符の購入は半角の1、ICカードのチャージはそれ以外: 1
>>>   お金を入れてください
```

`print関数が実行される`

逆に、2（実際は1以外の文字ならなんでも）を入力すると、if文内にある3行目が読みとばされて、何も表示されません。

`「2」と入力して Enter キーを押す`

```
File  Edit  Shell  Debug  Options  Window  Help
      Python 3.10.2 (tags/v3.10.2:a58ebcc, Jan 17 2022, 14:12:15) [MSC v.1929 64 bit (
      AMD64)] on win32
      Type "help", "copyright", "credits" or "license()" for more information.
>>>
      ========== RESTART: C:\Users\libroworks\Desktop\PythonxExcel\c2-4-3.py ==========
      切符の購入は半角の1、ICカードのチャージはそれ以外: 2
```

`print関数が実行されない`

```
File  Edit  Shell  Debug  Options  Window  Help
      Python 3.10.2 (tags/v3.10.2:a58ebcc, Jan 17 2022, 14:12:15) [MSC v.1929 64 bit (
      AMD64)] on win32
      Type "help", "copyright", "credits" or "license()" for more information.
>>>
      ========== RESTART: C:\Users\libroworks\Desktop\PythonxExcel\c2-4-3.py ==========
      切符の購入は半角の1、ICカードのチャージはそれ以外: 2
>>>
```

else節に当てはまらなかった場合の処理を書く

if文を使うと「条件に当てはまった場合の処理」を書くことはできますが、さらに「当てはまらなかった場合の処理」を書くにはif文にelse節（エルスせつ）を追加します。else節を追加したif文は以下のような形式で書きます。

```
if␣条件式:
␣␣␣␣当てはまった場合に実行する処理
else:
␣␣␣␣当てはまらなかった場合に実行する処理
```

キーワードelseと
コロン

インデント

キーワードelseはインデントせずに（キーワードifと同じ階層に）書くのに対して、「当てはまらなかった場合の処理」はインデントして書きます。

それでは、先ほどのプログラムにelse節を追加して、「ICカードのチャージ」が選択された場合の処理を書いてみましょう。

■ c2-4-4.py

```
001  input_text = input('切符の購入は半角の1、ICカードのチャージはそれ以外: ')
002  if input_text == '1':
003      print('お金を入れてください')
004  else:
005      print('ICカードを入れてください')
```

■ 実行結果

```
File  Edit  Shell  Debug  Options  Window  Help                    「2」と入力して Enter キーを押す
      Python 3.10.2 (tags/v3.10.2:a58ebcc, Jan 17 2022, 14:12:15) [MSC v.1929 64 bit (
      AMD64)] on win32
      Type "help", "copyright", "credits" or "license()" for more information.
>>>
      ========== RESTART: C:¥Users¥libroworks¥Desktop¥PythonxExcel¥c2-4-4.py ==========
      切符の購入は半角の1、ICカードのチャージはそれ以外: 2
```

```
File  Edit  Shell  Debug  Options  Window  Help                    else節の処理が実行される
      Python 3.10.2 (tags/v3.10.2:a58ebcc, Jan 17 2022, 14:12:15) [MSC v.1929 64 bit (
      AMD64)] on win32
      Type "help", "copyright", "credits" or "license()" for more information.
>>>
      ========== RESTART: C:¥Users¥libroworks¥Desktop¥PythonxExcel¥c2-4-4.py ==========
      切符の購入は半角の1、ICカードのチャージはそれ以外: 2
      ICカードを入れてください
>>>
```

elif節で分岐を増やす

次に、「切符の購入」と「ICカードのチャージ」に加えて券売機に「定期券の購入」という3つめの処理を加えたい場合を考えてみましょう。つまり、2通りではなく3通りに分岐させたい場合です。

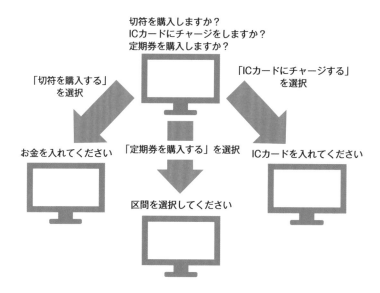

しかし、if文の条件を判定した結果は、当てはまった（True）と当てはまらなかった（False）のどちらかしかないので、3通り以上に分岐を増やしたい場合は新しく条件を増やす必要があります。

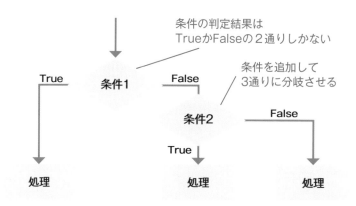

if文に条件を増やすために使われるのが、elif節（エルイフせつ）です。次のような形式でif文の中に書くことで、条件式1に当てはまらなかったときに条件式2で判定することができます。

```
if␣条件式1:
␣␣␣␣条件式1が当てはまった場合に実行する処理
elif␣条件式2:
␣␣␣␣条件式2が当てはまった場合に実行する処理
else:
␣␣␣␣どの条件にも当てはまらなかった場合に実行する処理
```

　それでは、プログラムにelif節を追加して、処理を3通りに分岐させてみましょう。
else節は必ずif文の最後に書かなければいけないので、else節の前にelif節を追加します。

■ c2-4-5.py

```
001  input_text = input('切符の購入は半角の1、定期券の購入は2、ICカードのチャージ
     はそれ以外：')
002  if input_text == '1':
003      print('お金を入れてください')
004  elif input_text == '2':
005      print('区間を選択してください')
006  else:
007      print('ICカードを入れてください')
```

■ 実行結果

「2」と入力して Enter キーを押す

```
File  Edit  Shell  Debug  Options  Window  Help
      Python 3.10.2 (tags/v3.10.2:a58ebcc, Jan 17 2022, 14:12:15) [MSC v.1929 64 bit (
      AMD64)] on win32
>>>   Type "help", "copyright", "credits" or "license()" for more information.
      ========== RESTART: C:/Users/libroworks/Desktop/PythonxExcel/c2-4-5.py ==========
      切符の購入は半角の1、定期券の購入は2、ICカードのチャージはそれ以外：2
```

elif節の処理が実行される

```
File  Edit  Shell  Debug  Options  Window  Help
      Python 3.10.2 (tags/v3.10.2:a58ebcc, Jan 17 2022, 14:12:15) [MSC v.1929 64 bit (
      AMD64)] on win32
>>>   Type "help", "copyright", "credits" or "license()" for more information.
      ========== RESTART: C:/Users/libroworks/Desktop/PythonxExcel/c2-4-5.py ==========
      切符の購入は半角の1、定期券の購入は2、ICカードのチャージはそれ以外：2
>>>   区間を選択してください
      |
```

if文で真偽値以外のデータを判定する

if文を使って判定できるのは、True、Falseという真偽値を返す式だけではありません。例えば、キーワードifの後に文字列型のデータを書くと、その文字列が空文字列（長さが0の文字列）である場合にFalse、それ以外の場合はTrueとして判定されます。

文字列型のデータをif文で判定し、何かが入力されていればTrue、何も入力されていなければFalseになることを確認してみましょう。

■ c2-4-6.py

```
001  input_text = input('何かを入力してください：')
002  if input_text:
003      print('何かが入力されました')
004  else:
005      print('何も入力されませんでした')
```

■ 実行結果

```
Python 3.10.2 (tags/v3.10.2:a58ebcc, Jan 17 2022, 14:12:
AMD64)] on win32
Type "help", "copyright", "credits" or "license()" for more information.

========== RESTART: C:¥Users¥libroworks¥Desktop¥PythonxExcel¥c2-4-6.py ==========
何かを入力してください：あ
何かが入力されました●
```

> 何かを入力して Enter キーを押すと
> Trueと判定される

```
Python 3.10.2 (tags/v3.10.2:a58ebcc, Jan 17 2022, 14:12:
AMD64)] on win32
Type "help", "copyright", "credits" or "license()" for more information.

========== RESTART: C:¥Users¥libroworks¥Desktop¥PythonxExcel¥c2-4-6.py ==========
何かを入力してください：
何も入力されませんでした●
```

> 何も入力せずに Enter キーを押すと
> Falseと判定される

空文字列以外にも、数値の0や、要素がゼロのリスト（P.52参照）、None（P.100参照）などの値はFalseになります。このことを知っているとif文をより簡潔に書けるので、覚えておきましょう。

Section 05 Pythonに繰り返し処理をさせる

　ビジネスパーソンがプログラミングを学ぶ動機の中で間違いなく上位を占めるのが、コンピューターに繰り返しの業務を任せたいというものです。

　複数の取引先に同じメールを送りたい、月が替わるたびに同じフォーマットの報告書を作成したい、など、日々行っている業務の中でも繰り返しの作業はいくつもありますが、プログラミングによってこれらを自動化できれば、自分はもっと重要な活動に時間を充てられるのに、という気持ちからプログラミングを学ぶ人も多いのではないでしょうか。

人間による繰り返し処理

・作業が長くなると疲労する
・ミスをする可能性がある
・コンピューターと比べると作業が遅い

コンピューターによる繰り返し処理

・電源が付いている限り働き続ける
・ミスがない（プログラムが正しければ）
・短時間で大量に処理できる

　ここからはその繰り返しについて学んでいきますが、その前提知識として、まずはPythonで繰り返しのプログラムを書くのに欠かせないリストというデータ型を紹介します。

複数のデータをまとめるリスト

　これまで、1つの変数には必ず1つのデータを格納していましたが、Pythonには複数のデータをまとめて格納できる便利なデータ型がいくつか存在します。

　最も代表的なのが、リストというデータ型です。リストの中には複数のデータをまとめて格納でき、格納された個々のデータは要素と呼ばれます。

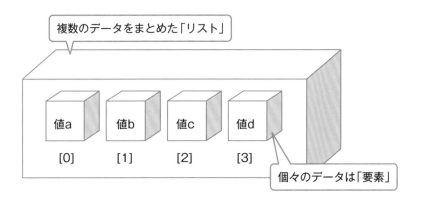

複数のデータをまとめた「リスト」

値a [0]　値b [1]　値c [2]　値d [3]

個々のデータは「要素」

複数のデータを格納できることの他に、リストには次の2つの大きな特徴があります。

・要素をインデックスで管理する

　リストは中に入っている要素をインデックスという番号で管理しています。このインデックスは先頭からの相対的な距離を表す数字なので、0から数えはじめます。

　例えば、上の図でリストの先頭にある要素aのインデックスは0、次にある要素bのインデックスは1です。データの順番を0から数えはじめるのは、Pythonに限らず多くのプログラミング言語で共通していることなので覚えておきましょう。

・作成した後にデータを書き換えられる

　これまで扱ってきた文字列、数値などのデータは、一度変数に代入するとその内容を書き換えられませんでした。P.32で見たように作成した変数に別のデータを再代入することはできますが、それはデータを書き換えているわけではなく、新しいデータで変数を上書きしているのです。

　しかし、リスト型のデータは一度作成した後に中の要素を書き換えたり、取り出したり、付け加えたりできます。

リストを作成する

　リストを作成するには、格納したい要素をカンマで区切って書き、全体を [ ]（角カッコ）で囲みます。3つの要素を持つリストを作った後、そのリストを表示してみましょう。

■ c2-5-1.py

```
001  dept_list = ['総務部', '営業部', '製造部']
002  print(dept_list)
```

■ 実行結果

```
['総務部', '営業部', '製造部']
```

　リスト自体ではなく中の要素を参照したい場合は、リスト名の後に角カッコを書いてインデックスを指定します。

■ c2-5-2.py

```
001  dept_list = ['総務部', '営業部', '製造部']
002  print(dept_list[1])
```

■ 実行結果

```
営業部
```

リストの要素を編集する

　先ほども書いたように、リストは作成した後に要素を編集できます。インデックス1の要素だけを書き換えるとどうなるでしょうか。

■ c2-5-3.py

```
001  dept_list = ['総務部', '営業部', '製造部']
002  print(dept_list)
003  dept_list[1] = '経理部'
004  print(dept_list)
```

■ 実行結果

```
['総務部', '営業部', '製造部']
['総務部', '経理部', '製造部']
```

　インデックス1の要素だけが書き換わって、それ以外の要素はそのままになっています。

要素を書き換えるだけでなく、新しい要素を後から追加することもできます。リストのappendメソッドは引数として渡したデータをリストの末尾に追加するメソッドです。これを使って、リストの後ろに要素を付け加えてみましょう。

■ c2-5-4.py

```
001  dept_list = ['総務部', '営業部', '製造部']
002  dept_list.append('人事部')
003  print(dept_list)
```

■ 実行結果

```
['総務部', '営業部', '製造部', '人事部']
```

リストに対して繰り返し処理を行う

　いよいよ繰り返しのプログラムの書き方について学んでいきましょう。Pythonにおける最も基本的な繰り返しは、リストなどの要素に対して繰り返し処理を行うfor文です。

　if文と同じように、for文も書き方が決まっています。

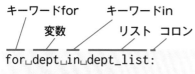

　このように書くことで、キーワードforの直後の「変数」に「リスト」の要素が順番に代入され、インデントして書いた「繰り返す処理」がリストの要素の数だけ繰り返し行われます。

　次のプログラムを実行して、for文がどのように動作するかを確かめてみましょう。

■ c2-5-5.py

```
001  dept_list = ['総務部', '営業部', '製造部']
002  for dept in dept_list:
003      print(dept)
```

■ 実行結果

総務部
営業部
製造部

　下図のように、dept_listの3つの要素が順番に変数deptに代入されて、print関数が3回実行されたことがわかります。

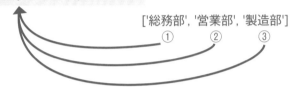

range関数で指定した回数だけ繰り返す

　range関数は、連続した整数を作るための関数です。例えば、range関数に引数として5を渡すと、0, 1, 2, 3, 4という5つの整数が作られます。0から始まり、引数の値から1を引いた数までの整数が作られるわけです。

　このrange関数とfor文を組み合わせると、指定した回数だけ処理を行う繰り返しを作ることができます。

■ c2-5-6.py

```
001  for i in range(5):
002      print('PDCA', i)
```

■ 実行結果

```
PDCA 0
PDCA 1
PDCA 2
PDCA 3
PDCA 4
```

range関数で作られた5つの整数が順番に変数iに代入され、print関数が5回繰り返されました。

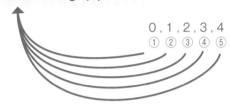

```
for i in range(5):
```

0, 1, 2, 3, 4
① ② ③ ④ ⑤

ここで、繰り返しの回数を数えるための変数にはiという名前を付けました。このように繰り返しの回数を表す変数はカウンタと呼ばれ、慣例としてiという変数名が使われます。

繰り返しの中に繰り返しを作る

繰り返しのプログラムは同じ処理をぐるぐると繰り返すのでループとも呼ばれますが、次の図のようにfor文の中にfor文を書いて入れ子状のループを作ることもできます。

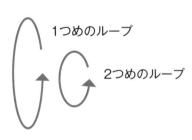

```
for i in range(5):

    for i in range(5):
```

1つめのループ

2つめのループ

入れ子状のループは、Excelなどで作った表形式のデータを扱うためによく使われます。

表形式のデータは行（横の連なり）と列（縦の連なり）を持っていますが、Excelでは行は数字、列はアルファベットで管理され、それぞれのセルはA1、B2などの名前で管理されています。

	A	B	C	D	E
1	A1	B1	C1	D1	E1
2	A2	B2	C2	D2	E2
3	A3	B3	C3	D3	E3
4	A4	B4	C4	D4	E4
5	A5	B5	C5	D5	E5

　では、A1からE5までの範囲にあるすべてのセルの名前を出力するプログラムを考えてみましょう。

　簡単に思い付くのは、「print ('A1')」「print ('A2')」「print ('A3')」……と順番に書いていく方法でしょう。しかし、これでは25回もprint関数を書くことになり非効率です。

　次の図のように2重のループを使えば、簡単にすべてのセルの名前を出力できます。まず、AからEまでの列名のリストを処理するfor文を書き、その中に1から5までの行番号を処理するfor文を書けば、print関数は一度書くだけでよくなります。

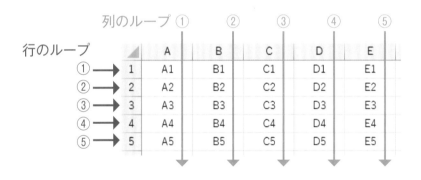

　実際のプログラムは次のようになります。

■ c2-5-7.py

```
001  column_list = ['A', 'B', 'C', 'D', 'E']
002  row_list = [1, 2, 3, 4, 5]
003  for column in column_list:
004      for row in row_list:
005          print(column, row)
```

■ 実行結果

```
A 1
A 2
A 3
……省略……
E 3
E 4
E 5
```

　外側のfor文が1回処理を行うあいだに、内側のfor文が5回処理を行う……ということを外側のfor文の要素がなくなるまで繰り返し、print関数を合計で25回実行します。

　2重のループの中で変数columnとrowに代入されている値がどのように変化しているかを示したのが以下の図です。

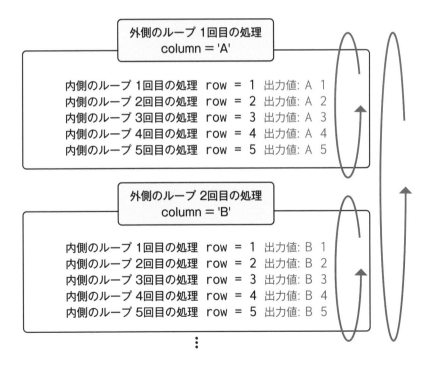

さまざまなライブラリで
Pythonの機能を拡張する

　P.12に書いたように、Pythonはさまざまな用途に用いられますが、それを実現するための仕組みがライブラリです。ライブラリとは、数値計算やデータ解析など特定の目的のための便利な機能をまとめた図書館のようなもので、Pythonプログラムを書くときはこの図書館から必要な機能を借りる（インポートする）ことができます。

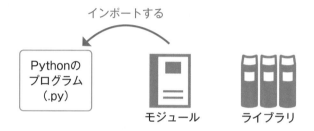

　ライブラリに収録されたさまざまな機能は、モジュールという単位に分かれています。ライブラリを図書館とすると、その中にあるモジュールは1冊の本と考えるとわかりやすいでしょう。

　モジュールの中には、クラスと呼ばれる独自のデータ型や、さまざまな関数が収録されています。モジュールからインポートした機能を使う際は、このクラスや関数の使い方を知ることが重要です。

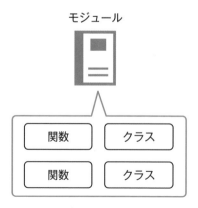

すぐに利用できる標準ライブラリ

Pythonのライブラリは、大きく標準ライブラリとサードパーティ製パッケージの2種類に分かれます。このうち、標準ライブラリはP.15でPythonをインストールしたときに同時にインストールされているので、皆さんのコンピューターですぐに利用することができます。

標準ライブラリに収録されている、主なモジュールをまとめた表を見てみましょう。幅広い用途に対応するためのさまざまなモジュールがそろっていることがわかります。

標準ライブラリの主なモジュール

用途	モジュール名
文字列の操作	string
正規表現	re
数学的な処理	math
日付や時刻を扱う	datetime
乱数の生成	random
ファイル、フォルダーの操作	pathlib
ファイルの操作	shutil
GUI画面の作成	Tkinter

モジュールをインポートする

それでは、実際にモジュールをインポートする方法を紹介します。条件分岐はif文、繰り返しはfor文で行ったように、インポートはimport文で行います。

最もシンプルなかたちのimport文は、特定のモジュール全体をインポートするものです。次のようにキーワードimportの後にインポートしたいモジュール名を書きます。

```
import モジュール名
```

「モジュール全体をインポート」とはつまり、それ以降の行ではモジュールに収録されているクラスや関数をすべて使用できるようになるということです。

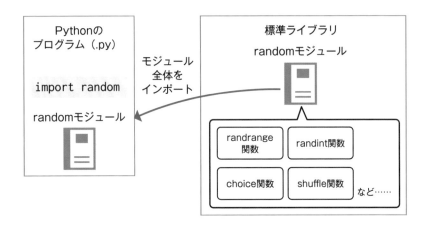

import文以降の行でモジュールの関数やクラスを使う場合は「このモジュールの、この関数（クラス）」と指定する必要があるので、以下のようにモジュール名と関数名（クラス名）を.（ドット）でつなぎます。

```
モジュール名.関数名
モジュール名.クラス名
```

次のように書くことで、モジュールの中から使用したいクラス（P.69参照）や関数だけをインポートすることもできます。

```
from モジュール名 import クラス名や関数名
```

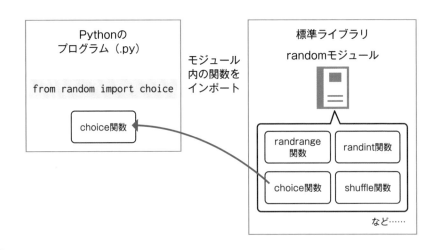

インポートした機能に別名を付ける

作成中のプログラムに新しいモジュールをインポートした場合は、すでにあった変数名とインポートした機能の名前が衝突（重複）してしまうこともあります。そんなときは、import文の最後にasを付けることで別名を付けられます。

```
import モジュール名 as 別名
from モジュール名 import クラス名や関数名 as 別名
```

例えば、以下のようにimport文でrandomモジュールをインポートしてrdという別名を付けると、以降の行ではrdと書くことでrandomモジュールを呼び出せます。

```
import random as rd
```

import文を書く位置

インポートされた機能はimport文以降の行で使えるようになるため、import文はプログラムの先頭にまとめて書きます。また、import文のまとまりの後は2行空けてコードを書きはじめるのが慣例になっています

randomモジュールから、choice関数をインポートして使用するプログラムを書いて実行してみましょう。choice関数は、引数として受け取ったデータのまとまりから、ランダムに1つの要素を取り出す関数です。

■ c2-6-1.py

```
001  from random import choice
002
003
004  bingo_list = range(1, 76)
005  print(choice(bingo_list))
```

■ 実行結果

```
55
```

実行結果は1から75までのランダムな整数が出力されるので、この本と違っていても気にしないでください。3行目でP.56でも登場したrange関数を使っていますが、

range関数はこのように引数を2つ受け取ると「1つめの引数から2つめの引数−1までの整数のまとまり」を返します。前述のプログラムでは、「1から75 (76 − 1) までの整数のまとまり」を作って、ビンゴゲームのようにランダムな数字を取り出しています。

最初のサードパーティ製パッケージをインストールする

　ここまで紹介してきた標準ライブラリは、Pythonのインストール時にすでに導入されていたのでimport文を書くだけでその機能を使うことができました。

　それに対して、第三者が開発、公開しているサードパーティ製パッケージは自動的にインストールされるものではないので、使用するにはまずコンピューターにインストールしなければいけません。

標準ライブラリ

・Pythonのインストール時に
　インストールされる

サードパーティ製パッケージ

・Pythonとは別にインストール
　する必要がある
・標準ライブラリではカバーできない
　さまざまな機能を提供する

　サードパーティ製パッケージをインストールするには、コマンドプロンプトからpipコマンドを実行します。「コマンドプロンプト」というとコンピューターの上級者だけが使いこなせる機能というイメージがあるかもしれませんが、ここでは丁寧に手順を追ってサードパーティ製パッケージのインストール方法を解説していきます。

　まずは、画面下のタスクバーの左にある検索ボックスに「cmd」と入力してアプリを検索し、[コマンドプロンプト]をクリックします。

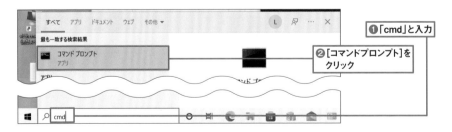

コマンドプロンプトが起動したら、次のコマンドを実行します。

```
pip install openpyxl
```

実行した後、Succesfully installedと表示されれば、サードパーティ製パッケージopenpyxlのインストールが成功したということです。

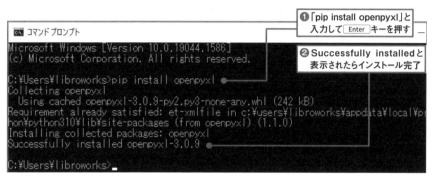

❶「pip install openpyxl」と
入力して Enter キーを押す

❷ Successfully installedと
表示されたらインストール完了

もしここで「'pip' は、内部コマンドまたは外部コマンド……として認識されていません。」と表示された場合は、Pythonのインストール時にpipコマンドのプログラムの配置場所が正しく設定されていないことが考えられます。その際は、代わりに次のコマンドを実行してください。

```
py -m pip install openpyxl
```

pipコマンドの使い方

先ほど実行したのは、ExcelファイルをPythonから操作するためのサードパーティ製パッケージopenpyxl（P.68から解説）をインストールするためのpipコマンドです。

pipコマンドは次のようにサブコマンドや引数、オプションを指定することで、インストール以外にもさまざまな用途で使えます。

```
pip サブコマンド オプションや引数
```

pipコマンドの主な使い方

コマンド	用途
pip install パッケージ名	指定したパッケージをインストールする
pip install パッケージ名==バージョン	指定したパッケージの特定のバージョンをインストールする
pip install -U パッケージ名	指定したパッケージを最新バージョンにアップデートする
pip uninstall パッケージ名	指定したパッケージをアンインストールする
pip list	インストール済みのパッケージ一覧を表示する
pip list -o	アップデートが可能なパッケージ一覧を表示する

　それでは、openpyxlが正常にインストールされているかを確認するために次のコマンドを実行してみましょう。実行結果の中にopenpyxlの行があれば、正常にインストールされています。

```
pip list
```

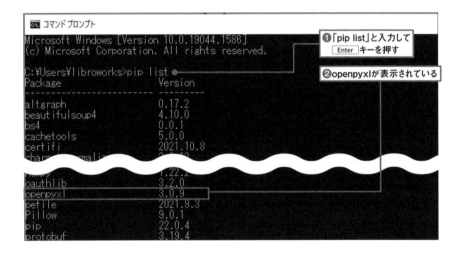

第3章

▼

Pythonで
Excelを操作する

▲

Python×Excel

Section 01　openpyxlでPythonからExcelを操作する

P.64で、最初のサードパーティ製パッケージとしてopenpyxlをインストールしました。このパッケージは、PythonからExcelファイルにさまざまな操作を行うための機能を備えています。

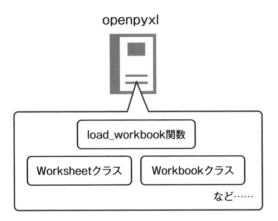

Excelファイルの構造

PythonからExcelファイルを操作する前に、Excelの基本をおさらいしておきましょう。

Excelでは、1つのExcelファイルのことをワークブックといいます。このワークブックの中には複数のワークシートを作ることができ、それぞれのワークシートは行と列からなる表形式になっています。そして、ワークシート内で行番号と列番号で指定できる1つ1つのマスをセルといいます。

これらの用語はPythonからExcelファイルを操作するときにも必須の知識です。ワークブック、ワークシート、セルの関係をよく覚えておきましょう。

また、ワークブックとワークシートは単にブック、シートとも呼ばれます。

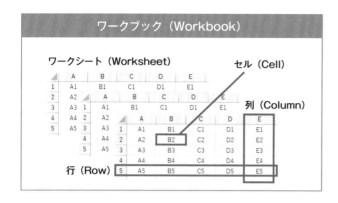

行、列は1から数えはじめる

　P.53で見たように、Pythonではリストの要素などデータの順番を数えるときは0から数えはじめますが、Excelの行、列は1から数えはじめる番号で管理されています。

　この数え方の違いを意識していないと、値を取得したいExcelのセルを指定するときや、Pythonのリストから要素を参照するときに不具合が起きる可能性があるので注意してください。

Python

Excel

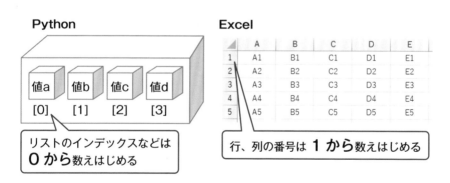

クラスはデータの設計図

　ここでクラスという言葉について少し詳しく説明しておきます。

　クラスとは、ひと言でいうとデータの設計図のようなものです。これまで文字列や

リストなどさまざまな型のデータを扱ってきましたが、実はそれらのデータもstrクラス、listクラスという設計図を基に作られています。

　クラスという言葉が設計図を表すのに対して、それを基に実際に作られたデータをインスタンス（実体）といいます。例えば、次のコードを実行すると文字列型の変数textが作成されますが、これを「strクラスから変数textというインスタンスを作成した」と言い換えることもできます。

```
text = '文字列'
```

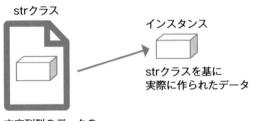

strクラス

インスタンス

strクラスを基に
実際に作られたデータ

文字列型のデータの
作り方が書かれた設計図

　クラスには、さまざまな属性が定義されていて、クラスを基に作られたインスタンスはすべて、クラスで定義された属性を参照することができます。例えば、P.36で文字列型のデータからreplaceメソッドを呼び出しましたが、それができるのはstrクラスにreplaceメソッドというメソッド属性が定義されているからです。

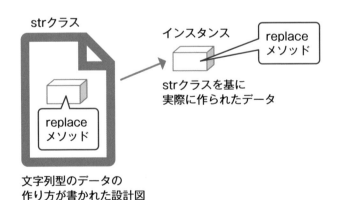

strクラス

インスタンス

replace
メソッド

strクラスを基に
実際に作られたデータ

replace
メソッド

文字列型のデータの
作り方が書かれた設計図

属性には、メソッド属性ともう1つデータ属性という種類があります。データ属性には文字通りデータが格納されています。

　クラスに関する用語がたくさん登場したので、図に整理しておきます。

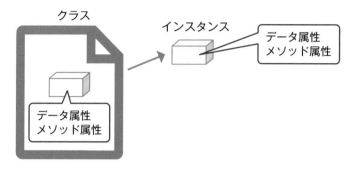

インスタンスを作る

　本格的にExcelファイルを操作する前に、openpyxlが持つWorkbookクラスを例に、実際にクラスからインスタンスを作ってデータ属性を参照するプログラムを実行してみましょう。

■ c3-1-1.py

```
001  import openpyxl ····· openpyxlをインポート
002
003
004  new_book = openpyxl.Workbook() ············ Workbookクラスのインスタンスを作る
005  print(new_book.sheetnames) ·················· データ属性sheetnamesを参照
```

■ 実行結果

```
['Sheet']
```

　このプログラムでは、1行目でopenpyxlをインポートした後、4行目でWorkbookクラスのインスタンスを作り、それをnew_bookという変数に入れています。クラスから新しいインスタンスを作るときは、このようにクラス名の後に () を付けます。

　5行目で、sheetnamesというデータ属性を出力しています。データ属性を参照するときは、このように「インスタンス名.属性名」と書きます。sheetnames属性にはブック内のすべてのシートの名前がリスト型で格納されています。このnew_bookはまだ

作られたばかりのExcelファイルなので、'Sheet'という名前のシートが1つあるだけです。

Excelファイルを作成する

　それでは、openpyxlの機能を使ってPythonからExcelファイルを操作する方法を学んでいきましょう。初めに、新しいExcelファイルを作成して、それを保存するプログラムを書きます。

　Pythonファイルに次のプログラムを入力して、実行してみましょう。

■ create_excel.py

```
001 import openpyxl ····· openpyxlをインポート
002
003
004 new_book = openpyxl.Workbook() ··········· Workbookクラスのインスタンスを作る
005 sheet = new_book.active ······· アクティブなワークシートを取得
006 sheet['A1'] = 'Pythonから作成されたExcel' ········ A1セルに文字列を入力
007 new_book.save('new_excel.xlsx') ········· 「new_excel.xlsx」と名前を付けて保存
```

　print関数を書いていないので実行しても何も表示されませんが、このPythonファイルがあるのと同じフォルダーを見ると「new_excel.xlsx」というExcelファイルが作成されています。

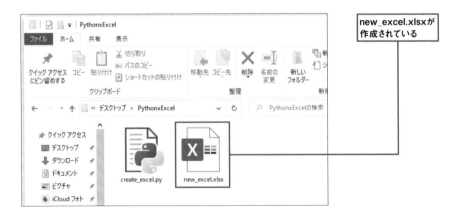

new_excel.xlsxが作成されている

　new_excel.xlsxを開いて中身を見てみましょう。A1セルに、「Pythonから作成されたExcel」と入力されているはずです。

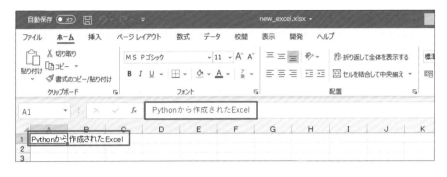

Pythonプログラムで行っている処理を、細かく見ていきましょう。

1行目〜4行目では、openpyxlをインポートし、Workbookクラスのインスタンスを作っています。Workbookクラスは、名前の通りワークブック（1つのExcelファイル）を表します。

■ create_excel.py

```
001  import openpyxl  ……  openpyxlをインポート
002
003
004  new_book = openpyxl.Workbook()  …………  Workbookクラスのインスタンスを作る
```

次に、5行目でnew_bookのactive属性を変数sheetに入れることで、ワークブックの中のアクティブなシートを取得します。

■ create_excel.py

```
005  sheet = new_book.active  ………  アクティブなワークシートを取得
```

「アクティブなシート」とは、Excelファイル内で操作できる状態になっているシートのことです。Excelファイルを開いているとき、複数のシートがある場合は画面下のタブから操作するシートを選ぶことができますが、ここで選ばれているシートが「アクティブなシート」です。

6行目で、シートの中のA1セルに文字を入力しています。1つのシートを表すWorksheetクラスのデータは、次のように角カッコ [ ] で囲んでセルのアドレスを指定することで、該当のセルに値を代入できます。

■ create_excel.py

```
006  sheet['A1'] = 'Pythonから作成されたExcel'  ……… A1セルに文字列を入力
```

最後に7行目で、Workbookクラスのsaveメソッドを使って作成したExcelファイルを保存します。

■ create_excel.py

```
007  new_book.save('new_excel.xlsx')  ……… 「new_excel.xlsx」と名前を付けて保存
```

saveメソッドでは、Excelファイルを保存する場所とファイル名を相対パスで、つまりPythonファイル（create_excel.py）から見てどこに、どんな名前で保存するかを引数で指定します。ここでは、ファイル名のみを指定しているのでPythonファイルと同じフォルダーにnew_excel.xlsxが保存されます。

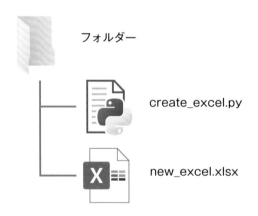

フォルダー

create_excel.py

new_excel.xlsx

Section 02 Excelシートから データを読み込む

先ほどのプログラムはPythonから新しいExcelファイルを作成しました。次は、すでにあるExcelファイルの内容をPythonから読み込むプログラムを作ってみましょう。

これから作るプログラムは、Pythonファイルと同じフォルダーにblood_type.xlsxというExcelファイルがあることを前提としています。このExcelファイルはサンプルファイルに含まれているので、P.2に記載されているURLからダウンロードしておいてください。

また、VSCodeでPythonプログラムを実行する場合は、P.22の方法でプログラムとExcelファイルがあるフォルダーを開いた状態で実行してください。

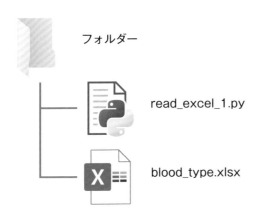

フォルダー

read_excel_1.py

blood_type.xlsx

blood_type.xlsxには、500人分の氏名と血液型の情報が書かれています。

	A	B	C	D	E	F	G
1							
2		氏名	血液型				
3		井上 琢也	O				
4		高柳 早苗	B				
5		瀬野 素子	B				
6		高田 健太郎	B				

ブック→シート→セルを取得する

　まずは、Excelファイルを読み込んで、セルに記録されているデータを取得する方法を紹介します。以下のプログラムを実行してみましょう。

■ read_excel_1.py

```
001  import openpyxl ····· openpyxlをインポート
002
003
004  book = openpyxl.load_workbook('blood_type.xlsx') ············· ワークブックを読み込む
005  sheet = book.active ······························· アクティブなワークシートを取得
006  print(sheet.cell(2, 2).value) ····························· 2行目、2列目のセルの値を出力
```

■ 実行結果

```
氏名
```

　blood_type.xlsxの2行目、2列目のセルに入力されている「氏名」という値が出力されました。

　プログラムが行っている処理を少し詳しく見ていきましょう。

　4行目で、Excelファイル（blood_type.xlsx）を読み込んでいます。ここで使われているload_workbook関数は、引数として渡されたファイル名を基にExcelファイルを読み込んで、Workbookクラスのデータとして返す関数です。ファイル名は、Pythonファイルから見た相対パスで指定しています。

■ read_excel_1.py

```
004  book = openpyxl.load_workbook('blood_type.xlsx') ············· ワークブックを読み込む
```

5行目、6行目では、P.73で紹介したactive属性でアクティブなシートを取得した後、Worksheetクラスのcellメソッドで、シート内のセルの値を取得しています。

cellメソッドには、取得したいセルの行番号・列番号を数値で渡します。P.69で書いたように、行番号・列番号は1から数えはじめることに注意してください。

ここでは、2行目・2列目のセル、つまりB2セルが取得されています。セルに入力されている値はvalue属性に格納されているので、「sheet.cell (2, 2) .value」と書くことでB2セルの値を取得できます。

sheet.cell(2, 2)

■ read_excel_1.py

```
005  sheet = book.active ······························· アクティブなワークシートを取得
006  print(sheet.cell(2, 2).value) ······················ 2行目、2列目のセルの値を出力
```

繰り返し処理で、シート内のすべてのセルを取得する

Excelファイルの中から、1つのセルの値を取得できました。次は、シート内のすべてのセルの値を取得してみましょう。

P.57でも見たように、Excelファイルなどの表形式のデータを扱う際は、行のループと列のループを組み合わせた2重ループが効果的です。

blood_type.xlsxのシートには、行で見ると2行目から502行目まで、列で見ると2列目から3列目までデータが入力されています。

	A	B	C
1		2	3
2	2	氏名	血液型
3		井上 琢也	O
4		高柳 早苗	B
5		瀬野 素子	B
6		高田 健太郎	B
7		鈴木 玲	B
8		六車 明生	A
499		鈴木 利江子	A
500		佐伯 春花	A
501		佐藤 貴之	O
502	502	有田 栄作	A
503			

つまり、図のようにrange関数を使ったfor文を2つ組み合わせると、データが入力されているすべてのセルの番号を指定できます。range関数は「1つめの引数から2つめの引数-1まで」の範囲の整数を作るので、2つめの引数はそれぞれ「502＋1」、「3＋1」としていることに注意してください。

列のループ
for col_no in range（2, 3+1）

行のループ
for row_no in range（2, 502+1）

	A	B	C
1		2	3
2	2 →	氏名	血液型
3	3 →	井上 琢也	O
4	4 →	高柳 早苗	B
5	5 →	瀬野 素子	B
6	6 →	高田 健太郎	B
7	7 →	鈴木 玲	B
8		六車 明生	A
499		鈴木 利江子	A
500	500 →	佐伯 春花	A
501	501 →	佐藤 貴之	O
502	502 →	有田 栄作	A
503			

では、実際にプログラムを入力して実行してみましょう。

■ read_excel_2.py

```
001   import openpyxl
002
003
004   book = openpyxl.load_workbook('blood_type.xlsx')
005   sheet = book.active
006   for row_no in range(2, 502+1): ………… 行番号のループ
007       for col_no in range(2, 3+1): ……… 列番号のループ
008           print(sheet.cell(row_no, col_no).value)
```

■ 実行結果

```
氏名
血液型
井上 琢也
O
……省略……
佐藤 貴之
O
有田 栄作
A
```

シートに入力された、501行・2列分のデータがすべて出力されました。

行数・列数を可変にする

　先ほどのプログラムでは、行数・列数を表す数値（2行目から502行目まで、2列目から3列目まで）をプログラム内に直接入力していたので、Excel ファイルに入力されているデータが増減すると対応できません。行数・列数が変わってもすべてのデータを出力できるようにプログラムを改善してみましょう。

　シートに入力されているデータの範囲は、次の Worksheet クラスの4つのデータ属性を取得すると簡単にわかります。

Worksheetクラスのデータ属性

属性名	説明
min_row属性	データが入力されている、最も小さい行の番号
min_column属性	データが入力されている、最も小さい列の番号
max_row属性	データが入力されている、最も大きい行番号
max_column属性	データが入力されている、最も大きい列番号

例として、blood_type.xlsxのシートでは4つのデータ属性の値はそれぞれ図のようになっています。

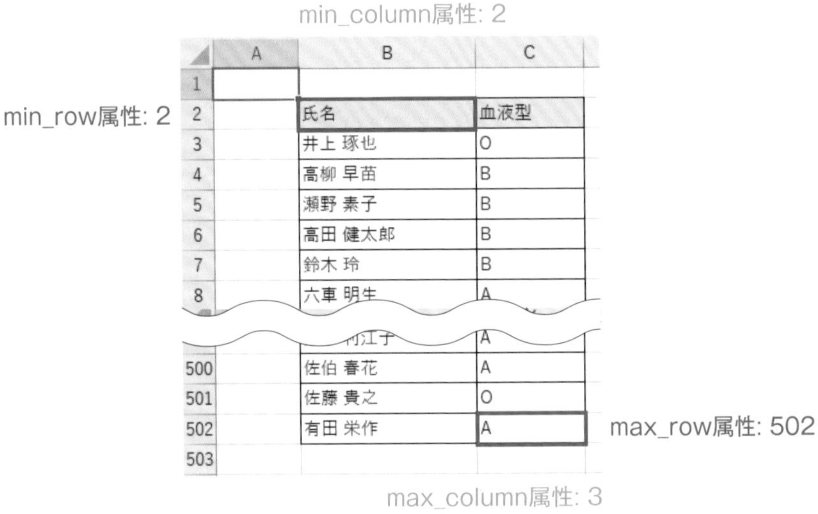

min_column属性: 2

min_row属性: 2

	A	B	C
1			
2		氏名	血液型
3		井上 琢也	O
4		高柳 早苗	B
5		瀬野 素子	B
6		高田 健太郎	B
7		鈴木 玲	B
8		六車 明生	A
		〜江子	A
500		佐伯 春花	A
501		佐藤 貴之	O
502		有田 栄作	A
503			

max_row属性: 502

max_column属性: 3

プログラムの中でこの4つのデータ属性を取得するようにしておけば、行数・列数がどのように変わっても同じプログラムで対応できます。先ほどのプログラムを以下のように書き換えて実行してみましょう。

■ read_excel_3.py

```
001  import openpyxl
002
003
004  book = openpyxl.load_workbook('blood_type.xlsx')
005  sheet = book.active
006  min_row, min_col = sheet.min_row, sheet.min_column ········ 最小の行・列番号を取得
```

```
007  max_row, max_col = sheet.max_row, sheet.max_column ……… 最大の行・列番号を取得
008  for row_no in range(min_row, max_row+1):
009      for col_no in range(min_col, max_col+1):
010          print(sheet.cell(row_no, col_no).value)
```

■ 実行結果

```
氏名
血液型
……省略……
有田 栄作
A
```

　ここで、6行目、7行目に注目してください。

　2行とも変数にデータを代入していますが、代入演算子 (=) の左辺にある変数も、右辺にあるデータも、カンマで区切られて2つずつ書かれています。

■ read_excel_3.py

```
006  min_row, min_col = sheet.min_row, sheet.min_column ……… 最小の行・列番号を取得
007  max_row, max_col = sheet.max_row, sheet.max_column ……… 最大の行・列番号を取得
```

　これは複数同時の代入といい、左辺の変数と右辺のデータの数を一致させれば、1行のコードで同時に代入ができるというものです。

左から順番に変数にデータが代入される

min_row, min_col = sheet.min_row, sheet.min_column

max_row, max_col = sheet.max_row, sheet.max_column

　複数同時の代入を使うとプログラムの行数を削減できますが、これを多用するとプログラムがわかりにくくなってしまいます。「行番号・列番号」のようにデータを代入する複数の変数のあいだに関連性があり、代入を同時にするのが適切な場合のみ使うようにしましょう。

Section 03 Excelシートに データを書き込む

Pythonを使って、Excelファイルに新しくデータを書き込むこともできます。

サンプルファイルに含まれている、age_category.xlsxを開いてみましょう。先ほどと同じく、見出し行に続いて500件のデータが入力されています。

	A	B	C	D	E	F	G	H	I	J	K
1											
2		氏名	年齢	年齢区分							
3		伊藤 征治	101								
4		芳野 いつみ	69								
5		森山 卓也	77								
6		髙田 大祐	31								
7		吉永 幸枝	96								
8		吉田 晴美	59								

B列に「氏名」、C列に「年齢」が入力され、D列の「年齢区分」はどの行も空白になっています。今回は、このD列「年齢区分」に「15歳未満」「15〜64歳」「65歳以上」の3つの区分を入力するプログラムを作ります。

年齢によって入力するデータを切り替える

まずは、「15歳未満」「15〜64歳」「65歳以上」の3つの区分のうち、どれをD列に入力するかをプログラムに判定させる方法を考えましょう。入力するデータは年齢によって3通りに切り替わるので、ここで必要なのは複数の条件を持つif文です。

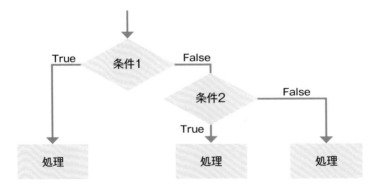

変数ageに年齢のデータが入っているとすると、「15歳未満」「15〜64歳」「65歳以上」の3つの区分を判定するif文は以下のようになります。

```
if age <= 14:
    category = '15歳未満'
elif 15 <= age <= 64:
    category = '15〜64歳'
else:
    category = '65歳以上'
```

　ここで、2つめの条件「15 <= age <= 64」に注目してください。この条件は2つの条件式「15 <= age」と「age <= 64」をつないだもので、このように書くことで「15歳以上かつ64歳以下」の場合にTrueと判定されます。

15 <= age   and   age <= 64
↓
15 <= age <= 64

　それでは、このif文で入力するべき値を判定して、Excelファイルにデータを書き込むプログラムを書いてみましょう。

■ write_excel.py

```
001  import openpyxl
002
003
004  START_ROW_NO = 3 ················· データ入力を開始する行
005  AGE_COL_NO = 3 ···················· 年齢の列
006  CATEGORY_COL_NO = 4 ·············· 年齢区分の列
007
008  book = openpyxl.load_workbook('age_category.xlsx')
009  sheet = book.active
010  max_row = sheet.max_row
011  for row_no in range(START_ROW_NO, max_row+1):
012      age = sheet.cell(row_no, AGE_COL_NO).value
013      category = '' ·················· 空文字列を代入することで変数categoryを作成
014      if age <= 14:
015          category = '15歳未満'
```

```
016       elif 15 <= age <= 64:
017           category = '15〜64歳'
018       else:
019           category = '65歳以上'
020       sheet.cell(row_no, CATEGORY_COL_NO).value = category
021   book.save('age_category_edited.xlsx') ······························ ファイルを別名で保存
```

　プログラムを実行するとage_category_edited.xlsxというファイルが新たに作成されます。ファイルを開くと、D列「年齢区分」にデータが入力されています。

▲	A	B	C	D	E	F	G	H	I	J	K
1											
2		氏名	年齢	年齢区分							
3		伊藤 征治	101	65歳以上							
4		芳野 いつみ	69	65歳以上							
5		森山 卓也	77	65歳以上							
6		髙田 大祐	31	15〜64歳							
7		吉永 青枝	96	65歳以上							

定数を作る

　プログラムが行っている処理について、詳しく見ていきましょう。

　4行目から6行目では、大文字のアルファベットで3つの変数を作っています。これら3つの変数はそれぞれ、Excelファイルの中でデータ入力を開始する行（3行目）、年齢の列（3列目）、年齢区分の列（4列目）を表しています。

■ write_excel.py

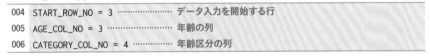

```
004   START_ROW_NO = 3 ···················· データ入力を開始する行
005   AGE_COL_NO = 3 ····················· 年齢の列
006   CATEGORY_COL_NO = 4 ·············· 年齢区分の列
```

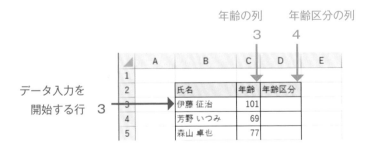

これらのようにプログラムの中で、最初に決められたデータを代入してから中身が変化しない変数は定数といいます。プログラムの中で定数を作成するときは、それが定数であることを示すためにアルファベット大文字で記述するのが慣例です。

繰り返し処理の中でデータを入力する

11行目から20行目まで、for文による繰り返し処理が書かれています。

■ write_excel.py

```
011  for row_no in range(START_ROW_NO, max_row+1):
012      age = sheet.cell(row_no, AGE_COL_NO).value
     ……省略……
020      sheet.cell(row_no, CATEGORY_COL_NO).value = category
```

12行目で3列目のセルのvalue属性（年齢）を読み取ってから、13行目で変数categoryを空文字列を使って作成し、14行目〜19行目のif文で年齢区分を判定してから、20行目で4列目のセルのvalue属性に年齢区分のデータを代入しています。

Excelファイルを別名で保存する

最後に、21行目でWorkbookクラスのsaveメソッドを使って、ファイルを別名で保存しています。saveメソッドには、保存するフォルダーとファイル名を相対パスで指定します。

■ write_excel.py

```
021  book.save('age_category_edited.xlsx')  ……………… ファイルを別名で保存
```

ここではPythonからExcelファイルにデータを書き込みましたが、Excelファイルに直接関数を使った数式を入力しても同じことはできます。

Pythonを使う方法はExcelファイルを開かなくてよいのでより簡単にデータを入力できるという利点がありますが、人によってはExcelにIF関数を入力するほうが簡単と感じるかもしれません。場合によって、Excelファイルを直接編集する方法とPythonを使ってデータを入力する方法を使い分けるとよいでしょう。

85

大量のコピー＆ペーストを
自動化する

　Pythonを使うと、Excelファイルを使ったさまざまな単純作業を自動化できます。ここでは、あるシートから別のシートへ大量のデータをコピー＆ペーストする作業を自動化してみましょう。

　以下のように、ある文房具店の売上をまとめたsales_list.xlsxというExcelファイルがあります。

	A	B	C	D	E	F	G	H	I	J
1	売上一覧									
2	売上No.	売上日	顧客名	商品	単価	個数	売上金額			
3	1	2022/7/1	吉田 晴美	鉛筆	60	3	180			
4	2	2022/7/1	植田 佳子	消しゴム	70	2	140			
5	3	2022/7/1	森下 遼	ボールペン	110	2	220			
6	4	2022/7/1	伊藤 征治	シャープペ	330	1	330			
7	5	2022/7/1	芳野 いつみ	定規	220	1	220			
8	6	2022/7/1	森山 卓也	鉛筆	60	3	180			
9	7	2022/7/1	伊藤 征治	消しゴム	70	2	140			
10	8	2022/7/1	芳野 いつみ	ボールペン	110	1	110			

　今回は、ここからC列にある「顧客名」ごとに新しいシートを作って、そこにデータを転記するプログラムを作成します。プログラムを実行すると、「顧客名」の数だけ新しいシートが作られ、そこに顧客ごとの売上がまとめられます。

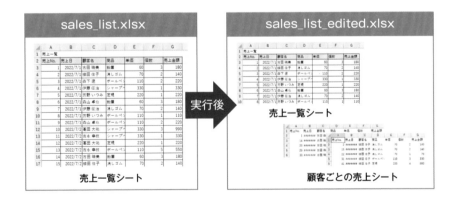

sales_list.xlsx　売上一覧シート

実行後

sales_list_edited.xlsx　売上一覧シート　顧客ごとの売上シート

早速プログラムを見てみましょう。

■ copy_excel_sheet.py

```
001  import openpyxl
002
003
004  HEADER_ROW_NO = 2 ···················· 見出しの行
005  READ_START_ROW_NO = 3 ··········· データ読み込みを開始する行
006  KEY_INDEX = 2 ··························「顧客名」が入っているインデックス (列番号でない)
007
008  book = openpyxl.load_workbook('sales_list.xlsx')
009  sheet = book.active
010  header_row_values = [] ········· 見出し行の値を格納するリスト
011  for i in range(sheet.min_column, sheet.max_column+1):
012      header_row_values.append(sheet.cell(HEADER_ROW_NO, i).value)
013  for row in sheet.iter_rows(min_row=READ_START_ROW_NO): ······ 行単位で繰り返し処理
014      row_values = [cell.value for cell in row] ················· 行の内容をリストにする
015      key_value = row_values[KEY_INDEX]
016      if key_value in book.sheetnames: ···················· 顧客名のシートが存在する場合
017          to_sheet = book[key_value]
018      else: ···················································· 顧客名のシートが存在しない場合
019          to_sheet = book.create_sheet(title=key_value) ···················· シートを作成
020          to_sheet.append(header_row_values) ······ 見出し行を入力
021      to_sheet.append(row_values) ·········· シートの末尾に行を追加
022  book.save('sales_list_edited.xlsx') ···················· ファイルを別名で保存
```

10行目から12行目で、リストheader_row_valuesを作り、for文による繰り返し処理で見出し行の値を1つずつリストに追加しています。見出し行に列がいくつあってもいいように、P.80で紹介したWorksheetクラスのmin_column属性、max_column属性で列の数を取得しています。

■ copy_excel_sheet.py

```
010  header_row_values = [] ········· 見出し行の値を格納するリスト
011  for i in range(sheet.min_column, sheet.max_column+1):
012      header_row_values.append(sheet.cell(HEADER_ROW_NO, i).value)
```

見出し行のセルの値を1つずつ
リストに追加していく

sheet.min_column　　　　　　　　　　　sheet.max_column
　　　1　　　　　　　　　　　　　　　　　　　7

　13行目から2つめのfor文を開始していますが、ここでWorksheetクラスのiter_rowメソッドを使っています。これは、シート内のセルを行単位で順番に渡すメソッドで、for文で使うことで変数rowにシートの行が1つずつ渡されます。

■ copy_excel_sheet.py

```
013  for row in sheet.iter_rows(min_row=READ_START_ROW_NO):  …… 行単位で繰り返し処理
```

　また、iter_rowメソッドに渡す引数に注目すると、「min_row=READ_START_ROW_NO」という見慣れないデータを渡しています。これはキーワード引数といって、「キーワード引数＝データ」というかたちでどの引数にデータを渡すかを指定する仕組みです。ここでは、iter_rowメソッドの処理をどの行からはじめるかを指定するキーワード引数min_rowにデータを渡しています。

キーワード引数min_row

```
for row in sheet.iter_rows(min_row=READ_START_ROW_NO):
```

3行目以降の行が順番に変数rowに格納される

	A	B	C	D	E	F	G	H	I	J	K	L	M
1	売上一覧												
2	売上No.	売上日	顧客名	商品	単価	個数	売上金額						
3	1	2022/7/1	吉田 晴美	鉛筆	60	3	180						
4	2	2022/7/1	植田 佳子	消しゴム	70	2	140						
5	3	2022/7/1	森下 渡	ボールペン	110	2	220						
6	4	2022/7/1	伊勢 征治	シャープペ	330	1	330						
7	5	2022/7/1	芳野 いつみ	定規	220	1	220						

内包表記でコンパクトにリストを作成する

14行目では、row_valuesという変数にfor文を［ ］（角カッコ）で囲んだようなもの
を代入しています。

■ copy_excel_sheet.py

```
014    row_values = [cell.value for cell in row] ············· 行の内容をリストにする
```

これは、内包表記というテクニックで、このように「式 for 変数 in 繰り返し処理
の対象」を［ ］で囲むことで、繰り返し処理の結果をまとめてリストにできます。

<pre>
        式   変数   繰り返し処理の対象
row_values = [cell.value for cell in row]
</pre>

内包表記を使うことのメリットは、for文を書くより短いコードで済むことです。
上記のコードの実行結果は、以下のfor文と同じです。

```
row_values = [] ····· 空のリストを作成
for cell in row:
    row_values.append(cell.value) ····· リストに要素を追加
```

「繰り返し処理の対象」である変数rowにはシート内のセルが行単位で格納されて
いるので、変数row_valuesには行ごとのセルの値がリストになって代入されます。

```
row_values = [cell.value for cell in row]
```

[1, 2022/7/1, '吉田 晴美', '鉛筆', 60, 3, 180]

ワークブックに新しいシートを作る

15行目で、リストrow_valuesのインデックス2のデータ（顧客名）を変数key_valueに格納しています。

■ copy_excel_sheet.py

```
015        key_value = row_values[KEY_INDEX]
```

リストから顧客名を取り出すとき、P.53でも書いたようにPythonのリストはインデックスを0から数えはじめることに注意してください。

16行目からはじまるif文は、ワークブックのシートに顧客名と同じ名前のシートがあるかどうかで処理を分岐させています。

ここで使われているin演算子は、左辺のデータが右辺のリストなどに含まれていればTrueを、含まれていなければFalseを返す演算子です。

Workbookクラスのsheetnames属性には名前の通りブック内のすべてのシート名がリストで格納されているので、変数key_valueとsheetnames属性をin演算子で演算することで、顧客名と同じ名前のシートがあるかどうかを判定しています。

```
if key_value in book.sheetnames:
    '吉田 晴美'           ['売上一覧']
```

sheetnamesにkey_valueと同じ要素がなければ、False

存在した場合は、そのシートを変数to_sheetに代入します。このようにWorkbookクラスの後ろにインデックスを指定するように［ ］（角カッコ）でシート名を指定することで、Worksheetクラスのデータを取得できます。

■ copy_excel_sheet.py

```
016        if key_value in book.sheetnames: ················· 顧客名のシートが存在する場合
017            to_sheet = book[key_value]
```

18行目からのelse節で、顧客名と同じ名前のシートが存在しなかった場合、新しく顧客名の名前を持つシートを作成します。シートを新しく作るには、Workbookクラスのcreate_sheetメソッドを使います。キーワード引数titleに文字列を渡すことで、シートの名前を指定できます。

```
to_sheet = book.create_sheet(title=key_value)
                                        '吉田 晴美'
```

売上一覧シート

吉田 晴美シート

新しく吉田 晴美シートを作成

■ copy_excel_sheet.py

```
018        else: ··················· 顧客名のシートが存在しない場合
019            to_sheet = book.create_sheet(title=key_value) ················· シートを作成
```

20行目では、10行目から12行目で取得した見出し行のデータを新しいシートに入力しています。Worksheetクラスのappendメソッドは、データが入力されている最後の行の下にデータを入力するので、新しく作られたシートでは1行目にデータを入力します。

['売上No.', '売上日', '顧客名', '商品', '単価', '個数', '売上金額']

■ copy_excel_sheet.py

```
020        to_sheet.append(header_row_values) …… 見出し行を入力
```

21行目で、appendメソッドでシートの末尾に行のデータを入力します。変数to_sheetには、顧客名と同じ名前のシートが格納されているので、顧客名が同じ行はすべて同じシートにコピーされます。

すべての行の処理が終わったら、最後にExcelファイルの名前を変えて保存します。これでコピー＆ペーストの作業は終了です。

■ copy_excel_sheet.py

```
021        to_sheet.append(row_values)
022 book.save('sales_list_edited.xlsx')
```

実行後、新しく作成されたsales_list_edited.xlsxを開くと、顧客名ごとのシートが増えています。

第4章

Python×Excelで
便利なツールを作る

Python×Excel

Excelをデータファイル
として使う

　ここまで、Pythonの基礎と、Pythonを使ってExcelファイルを操作する方法を説明してきました。

　ここからはいよいよ、PythonとExcelを使って自分だけでなく「みんなが使える自動化ツール」を作るための方法を学んでいきましょう。

　P.37で自動券売機のシステムを例に挙げましたが、普段よく使うシステムでもどんな仕組みで動いているのかユーザーが気にすることはほとんどありません。また、システムを使うユーザーは、システムの中身がどうなっているのかを知らないことがほとんどですが、ただシステムを使うだけであれば特に不都合はありません。

　逆に、プログラムがどのように書かれているかを知っている人しか使えないようなシステムは、優れたシステムとはいえないでしょう。

ユーザーはシステムの仕組みを知らなくても
　　　システムを使うことができる

　これから作るPythonとExcelを使ったツールにも、これと同じことがいえます。「みんなが使える自動化ツール」を作るには、プログラムを書いたあなたでなくても使い方がわかるような工夫が必要です。

「データ」と「命令」を分ける

　P.26で見せた次の図をもう一度思い出してください。

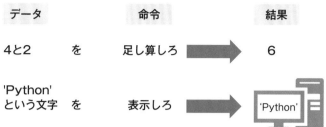

データ		命令	結果
4と2	を	足し算しろ	6
'Python'という文字	を	表示しろ	'Python'

　この図で示したように、コンピューターに作業を行わせるには、データと命令を
セットで指定する必要があります。そして、これまで作ってきたプログラムでは基本
的にデータと命令の両方をPythonのプログラムに書いてきました。しかし、この方
法では「足し算に使う数値を変えたい」「画面に表示する文字列を変えたい」など、命
令は変えずにデータだけを書き換えたい場合でもPythonファイルを開いてプログラ
ムを編集しなければいけません。

データも命令も
Pythonファイルに書き込んでいる場合

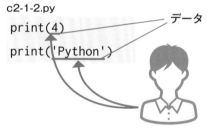

c2-1-2.py
```
print(4)
print('Python')
```
データ

データだけを書き換えたい場合でも、
ユーザーがPythonファイルを開いて
コードを編集しなければいけない

　P.37で紹介したinput関数を使って対話型のプログラムにすれば、実行中にユー
ザーからデータの入力を受け付けることもできますが、入力してもらうデータの項目
が多くなるとその分、手間が増えてしまいます。

```
name = input('名前を入力してください: ')
age = input('年齢を数値で入力してください: ')
mail_address = input('メールアドレスを入力してください: ')
tel = input('電話番号を半角数字で入力してください: ')
……
```

　そこで、「みんなが使える自動化ツール」を作るための工夫として、命令はPython
ファイル、データはExcelファイルに書くことで2つを分離することが考えられます。
次の図のように、データをExcelファイルに入力し、PythonファイルからそのExcel
ファイルを読み込むようなプログラムにしておけば、ユーザーがプログラムのデータ
を変更したいときはExcelファイルを編集すればよいことになります。

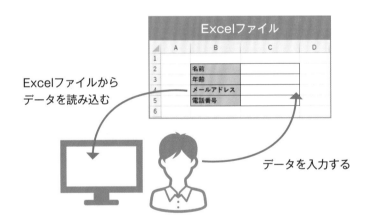

　あなたの職場やチームにも、Pythonファイルはよくわからないけれど、使い慣れ
たExcelのファイルなら編集できるという人は多いでしょう。この章では、命令を
Pythonファイル、データをExcelファイルで指定するプログラムの作り方を学んで
いきます。

ユーザーが入力しやすいExcelファイルの工夫

だれもが迷わず使えるツールにするには、ユーザーがExcelファイルにデータを入力する際、どのセルに何を入力すればいいのかを直感的に判断できるような工夫が必要です。

3章のサンプルにあったExcelファイルでも、データのセルの上には「氏名」、「年齢」などの見出し行がありました。

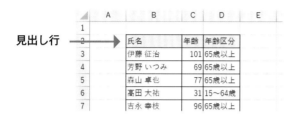
見出し行

見出し行は、どこにデータを入力するかをわかりやすくするだけでなく、どんなデータを入力するべきかを示す役割も果たします。ユーザーが迷わないように、以下の点に気を付けましょう。

・ 背景色を変える
・ 罫線で囲む
・ 何を入力するべきかわかりやすい名前を付ける

データを入力するセルも、それが入力欄であることがわかりやすいように罫線で囲んでおきましょう。

Section 02 Excelに書かれた人の名前を ランダムにグループ分けする

　大きな会議で参加者を小グループに分けるときや、オフィスでの座席を考えるときなど、たくさんの人を決められた人数ごとのグループに分けたいという場面はよくあるでしょう。

　ここではそんなときに役に立つ、Excelファイルに氏名を書かれた人たちを、Pythonでランダムにグループ分けするプログラムを作ります。

　Excelファイルには、氏名を書く欄のほかに「1グループの人数」の入力欄も作っておき、ユーザーがその数を切り替えられるようにしておきます。

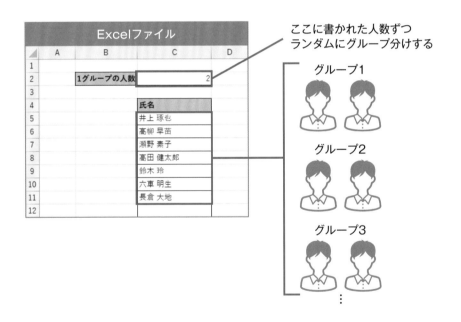

　3章で学んだ、PythonからExcelファイルのデータを読み込む技術を使えば、数百人をグループ分けしなければいけない場面でも、あっという間に処理を完了させられます。

　プログラムを見ていきましょう。

■ shuffle_group.py

```
001  import openpyxl
002  import random
003
004
005  INPUT_COLUMN_NO = 3 ·························· データを入力する列
006  NUM_PER_GR_ROW_NO = 2 ····················· 1グループの人数を入力する行
007  READ_START_ROW_NO = 5 ····················· データ読み込みを開始する行
008
009  book = openpyxl.load_workbook('people_sheet.xlsx')
010  sheet = book.active
011  number_per_group = sheet.cell(NUM_PER_GR_ROW_NO, INPUT_COLUMN_NO).value
012  people_list = [] ·························· 人の名前を格納するリスト
013  for row_no in range(READ_START_ROW_NO, sheet.max_row+1):
014      person_name = sheet.cell(row_no, INPUT_COLUMN_NO).value
015      if person_name is None: ··············· セルが空白である場合
016          break ·························· そこで繰り返し処理を終了
017      people_list.append(person_name)
018  random.shuffle(people_list) ··············· 人の名前をシャッフルする
019  counter = 0 ··························· グループごとの人数を数えるカウンタ
020  group_counter = 1 ······················ グループの数を数えるカウンタ
021  for person in people_list:
022      if counter == 0: ·················· グループで最初の1人である場合
023          print('グループ', group_counter)
024      print(person)
025      counter = counter + 1
026      if counter >= number_per_group: ··········· 1グループの人数に達した場合
027          print()
028          counter = 0
029          group_counter = group_counter + 1
```

　実行すると、以下のようにPythonのシェルウィンドウにグループごとに分けられた氏名が表示されます。

■ 実行結果

```
グループ 1
高田 健太郎
瀬野 素子
```

グループ 2
鈴木　玲
長倉　大地

グループ 3
井上　琢也
高柳　早苗

グループ 4
六車　明生

　このプログラムでは、openpyxlに加えてもう1つ、標準ライブラリのrandomモジュールをインポートしています。randomモジュールは、ランダムにグループ分けするために氏名をバラバラに並べ替える処理で登場します。

■ shuffle_group.py

```
001  import openpyxl
002  import random
```

break文で繰り返し処理から抜け出す

　13行目からはじまるfor文は、Excelファイルに書かれている氏名を上から順番にpeople_listに追加していますが、15行目と16行目に注目してください。「is」、「None」、「break」という見慣れない単語が登場しています。

■ shuffle_group.py

```
013  for row_no in range(READ_START_ROW_NO, sheet.max_row+1):
014      person_name = sheet.cell(row_no, INPUT_COLUMN_NO).value
015      if person_name is None:  ………… 空白のセルがある場合
016          break  ………………………………… そこで繰り返し処理を終了
017      people_list.append(person_name)
```

　Noneとは、データがないことを示します。他のプログラミング言語ではNull（ヌル）と呼ばれることもありますが、同じものを表しています。14行目でExcelのセルから値を取得して変数person_nameに代入していますが、セルに値が入力されていなかった場合、変数person_nameにはNoneが入ります。

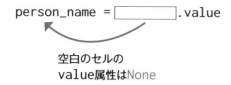

```
person_name =          .value
```

空白のセルの
value属性はNone

　15行目で変数person_nameとNoneを比較するときには、比較演算子isを使っています。Noneとの比較には比較演算子==よりも比較演算子isを使うことが推奨されています。

■ shuffle_group.py

```
015         if person_name is None: ·············· セルが空白である場合
```

　16行目はbreak文という文で、これが実行されるとプログラムは繰り返し処理から抜け出します。

```
for row_no in range(READ_START_ROW_NO, sheet.max_row+1):
    person_name = sheet.cell(row_no, INPUT_COLUMN_NO).value
    if person_name is None:
        break                                    繰り返しから抜け出す
    people_list.append(person_name)
random.shuffle(people_list)
```

　break文が実行されると、for文による処理の対象がまだ残っていても即座に繰り返しが終了します。このプログラムでは、Excelファイルの氏名を入力する列に図のように空白のセルがあると、その下に値が入力されていても処理の対象になりません。

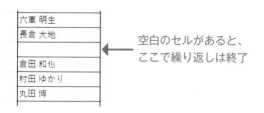

空白のセルがあると、
ここで繰り返しは終了

氏名のリストをランダムにシャッフルする

18行目で、randomモジュールのshuffle関数に氏名のリストを渡しています。

■ shuffle_group.py

```
018  random.shuffle(people_list) ……………… 人の名前をシャッフルする
```

このメソッドはリストなどに格納されたデータの順番を入れ替えます。どんな順番に入れ替えられるかはランダムなので、実行するたびに結果が変わります。

['井上 琢也', '高柳 早苗', '瀬野 素子', '高田 健太郎']

shuffleメソッド

['瀬野 素子', '高柳 早苗', '高田 健太郎', '井上 琢也']

カウンタでグループごとの人数とグループの数を数える

19行目と20行目では、グループごとの人数を数える変数counterと、グループの数を数える変数group_counterを作成しています。グループの番号は「グループ1、グループ2、……」と表示していくため、group_counterには最初に1を代入しています。

■ shuffle_group.py

```
019  counter = 0 ……………………… グループごとの人数を数えるカウンタ
020  group_counter = 1 ……………… グループの数を数えるカウンタ
```

21行目からのfor文は、シャッフルされた氏名のリストに対して繰り返し処理を行います。

22行目のif文は、グループごとの人数を数える変数counterが0の場合、つまりグループの中で最初の1人である場合に実行されます。

23行目では、print関数でグループの番号を出力しています。

24行目で氏名を出力して、その後、変数counterを1増やします。こうすることで、グループに何人いるかを数えています。

■ shuffle_group.py

```
021  for person in people_list:
022      if counter == 0: ············ グループで最初の1人である場合
023          print('グループ', group_counter)
024      print(person)
025      counter = counter + 1
```

26行目からのif文には、変数counterが1グループの人数に達した場合、つまりグループの最後の1人である場合の処理が書かれています。

27行目のように引数を指定せずにprint関数を実行すると、改行だけが出力されます。これによって次のグループとの間を見やすくしています。

最後に、次のグループに移るための準備として、変数counterを0に戻し、変数group_counterを1増やします。

■ shuffle_group.py

```
026      if counter >= number_per_group: ·················· 1グループの人数に達した場合
027          print()
028          counter = 0
029          group_counter = group_counter + 1
```

ちなみに、25行目「counter = counter + 1」と29行目「group_counter = group_counter + 1」では変数のデータを1ずつ増やしていく処理を行っていますが、この処理は以下のように書くこともできます。

```
counter += 1
group_counter += 1
```

このように演算子＋と代入演算子＝を合わせた記号＋＝を書いて計算と代入を同時に行うことを累算代入（るいさんだいにゅう）といいます。今回のように、繰り返し処理の中でカウンタの値を増やしていきたいときに使う機会が多いので覚えておきましょう。

Excelテンプレートの
コピーを自動化する

　月次報告書のテンプレートを店舗の数だけコピーするなど、1つのExcelファイル
を名前を変えていくつもコピーする作業は、単純ですが手間がかかります。ここでは、
「読み込みExcelファイル」から支店のリストを読み込み、支店の数だけ「テンプレー
トExcelファイル」のコピーを作成するプログラムを作ります。

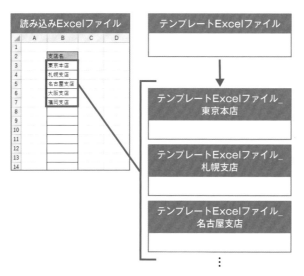

読み込みExcel
ファイルに書かれた
支店の数だけ、
テンプレート
Excelファイルの
コピーを作成する

　まずはPythonプログラムを見てみましょう。

■ copy_excel_book.py

```
001  import openpyxl
002
003
004  INPUT_COLUMN_NO = 2 ………… データを入力する列
005  READ_START_ROW_NO = 3 ……… データ読み込みを開始する行
006  TEMPLATE_FILE = '報告書' …… テンプレートのExcelファイル名（拡張子を除く）
```

```
007
008  read_book = openpyxl.load_workbook('branch_list.xlsx')
009  sheet = read_book.active
010  branch_list = [] ·················· 支店名を格納するリスト
011  for row_no in range(READ_START_ROW_NO, sheet.max_row+1):
012      branch_name = sheet.cell(row_no, INPUT_COLUMN_NO).value
013      if branch_name is None: ·············· セルが空白である場合
014          break ································ そこで繰り返し処理を終了
015      branch_list.append(branch_name)
016  copy_book = openpyxl.load_workbook(TEMPLATE_FILE + '.xlsx')
017  for branch in branch_list:
018      copy_book.save(TEMPLATE_FILE + '_' + branch + '.xlsx')
```

このPythonプログラムは、下図のように同じフォルダー階層にbranch_list.xlsx（読み込みExcelファイル）、報告書.xlsx（テンプレートExcelファイル）があることを前提にしています。

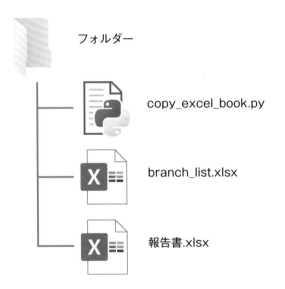

フォルダー

copy_excel_book.py

branch_list.xlsx

報告書.xlsx

　プログラムの各部分を詳しく見ていきましょう。

　4行目から6行目で3つの定数を作成していますが、3つめにテンプレートExcelファイルの名前を代入しています。この定数は16行目以降に登場しますが、拡張子（.xlsx）を除いた名前にしておく必要があることに注意してください。

■ copy_excel_book.py

```
004   INPUT_COLUMN_NO = 2 ············· データを入力する列
005   READ_START_ROW_NO = 3 ········· データ読み込みを開始する行
006   TEMPLATE_FILE = ' 報告書 ' ····· テンプレートのExcelファイル名（拡張子を除く）
```

8行目から、branch_list.xlsx（読み込みExcelファイル）から支店の名前を読み込む一連の処理が書かれています。branch_list.xlsxにはこのように、B3セルから下に向かって支店の名前が書かれています。

■ copy_excel_book.py

```
008   read_book = openpyxl.load_workbook('branch_list.xlsx')
009   sheet = read_book.active
```

11行目から繰り返し処理の中で支店名のリストに要素を追加しています。セルが空白になったら、P.100に登場したbreak文で繰り返し処理を終了します。

■ copy_excel_book.py

```
010   branch_list = [] ································· 支店名を格納するリスト
011   for row_no in range(READ_START_ROW_NO, sheet.max_row+1):
012       branch_name = sheet.cell(row_no, INPUT_COLUMN_NO).value
013       if branch_name is None: ················· セルが空白である場合
014           break ····························· そこで繰り返し処理を終了
015       branch_list.append(branch_name)
```

16行目で報告書.xlsx（テンプレートExcelファイル）を読み込みます。17行目からのfor文で、支店名の数だけファイルを別名で保存します。

■ copy_excel_book.py

```
016  copy_book = openpyxl.load_workbook(TEMPLATE_FILE + '.xlsx')
017  for branch in branch_list:
018      copy_book.save(TEMPLATE_FILE + '_' + branch + '.xlsx')
```

18行目でsaveメソッドを使ってExcelファイルを別名で保存するとき、演算子＋で文字列を連結（P.29参照）して新しいファイル名を作っています。変数branchには繰り返し処理のたびに違う支店名が代入されるため、支店名の数だけ名前の異なるファイルが作成されます。

```
TEMPLATE_FILE + '_' + branch + '.xlsx'
    報告書              東京本店
                        札幌支店
                        名古屋支店
                        大阪支店
                        福岡支店
```

実行後、フォルダーに支店の数だけ報告書.xlsxのコピーが作成されています。

名前	更新日時	種類	サイズ
branch_list.xlsx	2022/03/30 18:24	Microsoft Excel ワ...	10 KB
copy_excel_book.py	2022/03/30 17:31	Python File	1 KB
報告書.xlsx	2022/03/30 16:04	Microsoft Excel ワ...	7 KB
報告書_札幌支店.xlsx	2022/03/30 18:24	Microsoft Excel ワ...	5 KB
報告書_大阪支店.xlsx	2022/03/30 18:24	Microsoft Excel ワ...	5 KB
報告書_東京本店.xlsx	2022/03/30 18:24	Microsoft Excel ワ...	5 KB
報告書_福岡支店.xlsx	2022/03/30 18:24	Microsoft Excel ワ...	5 KB
報告書_名古屋支店.xlsx	2022/03/30 18:24	Microsoft Excel ワ...	5 KB

Section
04
複数のテキストファイルの
検索・置換を一括で行う

「メモ帳」アプリをはじめとするテキストエディターには、「色々」→「いろいろ」、「㈱」→「株式会社」のように、ファイル内に登場する文字列を別の文字列に変更したいときに便利な検索・置換の機能が備わっています。

テキストエディターの検索・置換は便利な機能ですが、多くの場合、「検索する文字列」と「置換後の文字列」のペアは一度に1つずつしか指定できません。

今回は、Excelファイルの中で「検索する文字列」と「置換後の文字列」のペアを複数指定して、複数のテキストファイルに対して一括で検索・置換を行うプログラムを作ってみましょう。

フォルダーにある複数の
テキストファイルに、複数の
検索・置換を一括で実行する

プログラムは少し長いですが、次のようになります。

■ replace_text.py

```
001  import openpyxl
002  import pathlib
003
004
005  READ_START_ROW_NO = 3 ························· データ読み込みを開始する行
006  OLD_WORD_COL_NO = 2 ·························· 検索する文字列を入力する列
007  NEW_WORD_COL_NO = 4 ·························· 置換後の文字列を入力する列
008  TARGET_FOLDER = pathlib.Path('text') ······ テキストファイルを格納するフォルダー
009
010  book = openpyxl.load_workbook('replace_list.xlsx')
011  sheet = book.active
012  old_words = [] ······················ 検索する文字列のリスト
013  new_words = [] ······················ 置換後の文字列のリスト
014  for i in range(READ_START_ROW_NO, sheet.max_row+1):
015      old_word = sheet.cell(i, OLD_WORD_COL_NO).value
016      new_word = sheet.cell(i, NEW_WORD_COL_NO).value
017      if old_word is None: ······ 検索する文字列が空白である場合
018          break ················· そこで繰り返し処理を終了
019      if new_word is None: ······ 置換後の文字列が空白である場合
020          new_word = '' ··········· 空文字に変換
021      old_words.append(str(old_word)) ····················· 検索する文字列をリストに追加
022      new_words.append(str(new_word)) ····················· 置換後の文字列をリストに追加
023      print(f'{old_word}→{new_word}') ················ メッセージを表示
024  file_counter = 0
025  for target_file in TARGET_FOLDER.glob('*.txt'):
026      print()
027      print(f'{target_file.name}のテキストを置換します')
028      file_text = target_file.read_text(encoding='UTF-8') ····· 文字コードUTF-8
029      for i in range(len(old_words)):
030          file_text = file_text.replace(old_words[i], new_words[i])
031      target_file.write_text(file_text, encoding='UTF-8') ····· 文字コードUTF-8
032      file_counter += 1
033  print()
034  print(f'{file_counter}ファイル 置換が完了しました')
```

pathlibモジュールでファイルを扱う

　最初のimport文の部分で、標準ライブラリのpathlibモジュールをインポートしています。pathlibはファイルを扱うためのモジュールで、このプログラムでは拡張

子.txtのテキストファイルをまとめて取得したり、テキストファイルの内容を取得したりするためにインポートしています。

■ replace_text.py

```
001  import openpyxl
002  import pathlib
```

5行目から8行目で定数を作成しています。8行目の定数TARGET_FOLDERは、検索・置換したいテキストファイルをまとめて格納するフォルダーを表していて、pathlibモジュールのPathクラスのデータを代入します。

Pathクラスにはフォルダーやファイルの置いてある場所を相対パスで指定しています。このPythonプログラムを実行するときは、同じフォルダー階層にtextというフォルダーを作成して、そこにテキストファイルをまとめて格納してください。

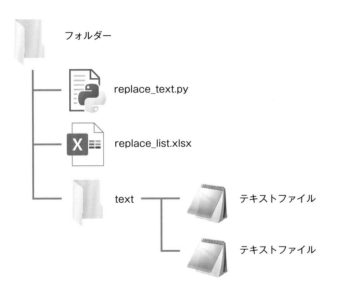

フォルダー

replace_text.py

replace_list.xlsx

text

テキストファイル

テキストファイル

■ replace_text.py

```
005  READ_START_ROW_NO = 3 ·························· データ読み込みを開始する行
006  OLD_WORD_COL_NO = 2 ·························· 検索する文字列を入力する列
007  NEW_WORD_COL_NO = 4 ·························· 置換後の文字列を入力する列
008  TARGET_FOLDER = pathlib.Path('text') ············ テキストファイルを格納するフォルダー
```

12行目から23行目で、Excelファイルから「検索する文字列」と「置換後の文字列」を読み込んで、それぞれold_wordsとnew_wordsというリストに追加しています。

17行目のif文は、「検索する文字列」が入力されていない行があれば、break文（P.100参照）で繰り返し処理を終えるためのものです。

■ replace_text.py

```
017    if old_word is None: …… 検索する文字列が空白である場合
018        break ……………………… そこで繰り返し処理を終了
```

19行目のif文は、「置換後の文字列」が入力されていない行がある場合に、変数new_wordに空文字列（長さが0の文字列）を代入しています。文字列を指定するための引用符（'）を2つ続けて書くことで、空文字列の意味になります。空文字列はデータの型が文字列型なので、P.100で登場したNoneとは異なります（Noneの型はNoneType型です）。

■ replace_text.py

```
019    if new_word is None: …… 置換後の文字列が空白である場合
020        new_word = '' ………… 空文字に変換
```

21行目と22行目で、変数old_wordと変数new_wordを、それぞれ文字列に変換してからリストに追加しています。文字列に変換しているのは、30行目で登場するreplaceメソッドに引数として渡すときのためです。検索する文字列や置換後の文字列が数値である場合に備えています。

■ replace_text.py

```
021    old_words.append(str(old_word)) ………………… 検索する文字列をリストに追加
022    new_words.append(str(new_word)) ………………… 置換語の文字列をリストに追加
```

文字列に変数の値を差し込む

23行目では、ユーザーに対して「検索する文字列→置換する文字列」というメッセージを表示しています。いつものように文字列を引数として渡していますが、ここでは引用符（'）の前にアルファベットのfを書くことで、フォーマット済み文字列リテラルという特殊な文字列を作成しています。

111

これは、文字列の中に変数や式を差し込めるもので、引用符の前にアルファベットのfを書いて、値を差し込みたい部分を｛｝（波カッコ）で囲むと、その部分が変数の値に変わります。例えば、変数old_wordに「㈱」、変数new_wordに「株式会社」というデータが入っていた場合、実際に出力されるメッセージは「㈱→株式会社」になります。

■ replace_text.py

```
023    print(f'{old_word}→{new_word}') ················· メッセージを表示
```

globメソッドでファイルをまとめて取得する

25行目からのfor文は、Pathクラスのglobメソッドを使って、textフォルダー内のテキストファイル（拡張子が.txtのファイル）をまとめて取得して、それらに対して繰り返し処理を行います。

■ replace_text.py

```
025  for target_file in TARGET_FOLDER.glob('*.txt'):
```

globメソッドは、Pathクラスのデータ（このプログラムではtextフォルダー）内にあるファイルやフォルダーをまとめて取得するメソッドで、引数として受け取った文字列を検索条件にしてファイルやフォルダーを絞り込みます。

globメソッドに渡す検索条件には「*」などのワイルドカードを使用できます。ワイルドカードは「任意の文字列」を意味する特殊な文字で、例えば「あ*ん」を検索条件にすれば、「あ」ではじまって「ん」で終わる文字列がすべて条件にマッチします。ここでは、「*.txt」とすることで最後が「.txt」で終わるすべてのファイルを対象にしています。

.glob('*.txt')

text.txt　　memo.txt　　note.txt

すべて条件に当てはまる

globメソッドの戻り値は具体的なフォルダーやファイルのデータなので、変数target_fileには、テキストファイルが1つずつ代入されます。

```
for target_file in TARGET_FOLDER.glob('*.txt'):
```

28行目で、Pathクラスのread_textメソッドを使って、ファイルの中身を文字列として取得して変数file_textに代入しています。

read_textメソッドは、キーワード引数encodingでファイルを読み込む際の文字コードを指定できます。このプログラムではUTF-8という文字コードを指定していますが、別の文字コードで読み込む場合はこの部分を修正します。

■ replace_text.py

| 028 | `file_text = target_file.read_text(encoding='UTF-8')` ‥‥‥ **文字コードUTF-8** |

len関数でリストの長さを取得する

29行目からまたfor文がはじまっていますが、まずはこの行で使っているlen関数について説明します。

len関数は、リストや文字列などの長さを数値として取得する関数です。ここでは、len関数がリストold_wordsの要素の数を数値で返し、それがrange関数に渡されます。range関数は0からold_wordsの要素数-1までの整数を作るので、結果としてこのfor文はリストold_wordsの要素の数だけ繰り返し処理を行います。

例: old_wordsの要素数が3である場合

```
for i in range(len(old_words)):
                          3
               0から2までの整数を作る
```

30行目では、文字列のreplaceメソッド（P.36参照）で文字列の置換を行います。繰り返し処理によって、Excelファイルから読み込んだ「検索する文字列」と「置換後の文字列」のペアの数だけ、この置換処理が行われます。

■ replace_text.py

```
030        file_text = file_text.replace(old_words[i], new_words[i])
```

31行目で、Pathクラスのwrite_textメソッドを使って、置換が完了した文字列を元のテキストファイルに書き込んでいます。write_textメソッドの1つめの引数には書き込む文字列を渡し、キーワード引数encodingにはread_textメソッドと同じく文字コードを指定できます。

■ replace_text.py

```
031     target_file.write_text(file_text, encoding='UTF-8')  ……… 文字コードUTF-8
```

32行目では、P.103で登場した累算代入演算子を使って、変数file_counterの値を1ずつ増やします。これによって、繰り返し処理が終わったときには変数file_counterには置換を行ったテキストファイルの総数が記録されます。

■ replace_text.py

```
032     file_counter += 1
```

第**5**章

みんなに使ってもらえる
ツールにするために

Python×Excel

Section
01

Pythonで作った
プログラムをみんなに配布する

　Pythonで作ったプログラムを自分以外の人に使ってもらうとき、最初に直面する問題がPythonファイルは、Pythonをインストールしたコンピューターでしか実行できないことです。

　つまり、職場のみんなで使えるツールを作ったとしても、それを使ってもらうためにはP.15で解説した方法でそれぞれのコンピューターにPythonをインストールしてもらわなければなりません。

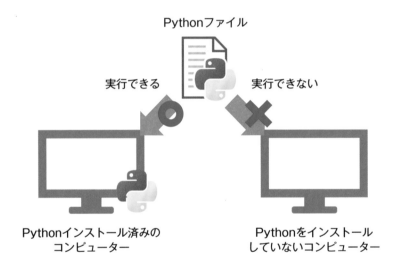

Pythonファイル

実行できる　　　　　　　実行できない

Pythonインストール済みの　　　　Pythonをインストール
コンピューター　　　　　　　　していないコンピューター

　この問題を解決するのが、PyInstallerというサードパーティ製パッケージです。PyInstallerは、Pythonプログラム、プログラムを実行するためのソフトウェア、そしてプログラムで使われているモジュールを1つの実行ファイル（exe形式）にまとめるツールです。

　これを使って作成したexe形式の実行ファイルを配布すれば、Pythonをインストールしていないコンピューターでも実行ファイルを開くだけでPythonプログラムを実行できるようになります。

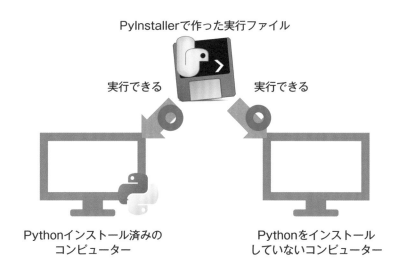

PyInstallerで作った実行ファイル

実行できる　　　　　実行できる

Pythonインストール済みの　　　Pythonをインストール
コンピューター　　　　　　　　していないコンピューター

pipコマンドでPyInstallerをインストールする

PyInstallerはサードパーティ製パッケージなので、P.64で紹介した方法でインストールする必要があります。コマンドプロンプトで次のコマンドを実行しましょう。

```
pip install PyInstaller
```

❶「pip install PyInstaller」と
入力して Enter キーを押す

❷ Successfully installed と
表示されたらインストール完了

117

画像では2022年4月現在の最新バージョンである4.10がインストールされています。PyInstallerのバージョン4.10が対応しているPythonのバージョンは3.6以上なので、それより古いPythonがインストールされている場合は、Pythonのバージョンアップを行ってください。

コマンドプロンプトでPyInstallerを実行する

先ほども書いた通り、PyInstallerはPythonプログラム、プログラムを実行するためのソフトウェア（Python本体）、そしてプログラムで使われているモジュールを1つの実行ファイルにまとめられるツールです。

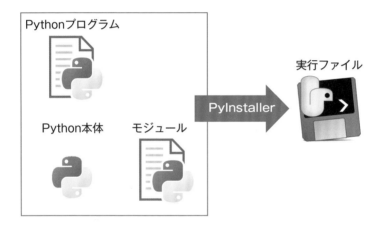

今回は、P.108で作った複数のテキストファイルに対して一括で置換を行うプログラム（以下、テキスト一括置換プログラムと呼びます）、replace_text.pyから実行ファイルを作成してみましょう。

PyInstallerは、コマンドプロンプトで以下のようなコマンドを入力して実行します。

```
pyinstaller（ファイル名）[--onefile] [--noconsole]
```

（ファイル名）の部分には、Pythonファイルの名前を入力します。[ ]（角カッコ）で囲んだのは省略可能なオプションです。「--onefile」を付けると実行ファイルがexe形式の1ファイルにまとまります。「--noconsole」を付けると、実行時にコンソール（print関数の結果などが出力される画面）が表示されません。

Pythonプログラムから実行ファイルを作成する

　それでは、実際にテキスト一括置換プログラム（replace_text.py）から実行ファイルを作成してみましょう。まずは、エクスプローラーで目的のファイルがあるフォルダーを開いて、アドレスバーに表示されているパスをクリックし、コピーします。

パスをクリックしてコピーする

　P.64の手順でコマンドプロンプトを起動した後、「cd」に続けて半角スペースを入力した後ろに先ほどコピーしたパスをペーストしてコマンドを実行すると、目的のファイルがあるフォルダーに移動できます。

コマンドプロンプトに「cd（コピーしたパス）」のように入力して実行

　pyinstallerコマンドで、Pythonファイルから実行ファイルを作成します。今回は実行ファイルを1つのファイルにしたいので、--onefileオプションを有効にしましょう。

```
pyinstaller replace_text.py --onefile
```

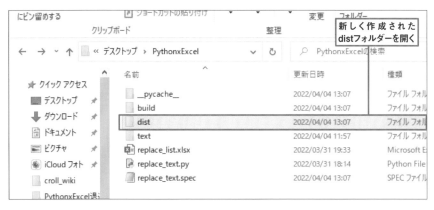

コマンドを実行すると、フォルダーに新しく__pycache__、build、distというフォルダーや、「.spec」という拡張子のファイルが作成されています。この中からdistというフォルダーを開くと、exe形式の実行ファイルがあります。

この実行ファイルをダブルクリックして開くと、Pythonプログラムが実行されます。他のユーザーに配布する際は、このexe形式のファイルだけを配布すればPythonをインストールしていない環境でもプログラムを実行できます。

ただし、Windows環境でPyInstallerを使って作成した実行ファイルは、Mac環境では使用できないので注意してください。

みんなに使ってもらうために

先ほど作成したreplace_text.exeは、replace_text.pyから作成された実行ファイルなので、元のプログラムと同じように読み込むExcelファイルとtextフォルダーと同じ階層に配置して実行します。

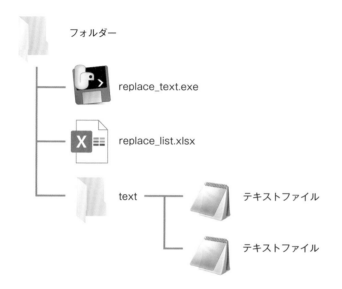

フォルダー

replace_text.exe

replace_list.xlsx

text ── テキストファイル

テキストファイル

ただし、このプログラムは処理を実行して結果を一方的に表示して終了するだけのプログラムなので、replace_text.exeをダブルクリックして実行すると、コンソール画面が一瞬だけ立ち上がり、瞬く間に消えてしまいます。

実行後にtextフォルダー内のテキストファイルを確認すると、「文字列を置換する」という処理を実行できたことはわかりますが、プログラムを作成したあなた以外のユーザーは、黒い画面が一瞬現れて消えるだけなので何が起こったのかわからず困惑してしまうでしょう。このプログラムを他のユーザーに使ってもらえるツールにするには、プログラムの状態や現在行われている処理などの情報を、ユーザーが確認できるように表示する工夫が必要です。

この章では、このreplace_text.pyを書き換えることを通じて、Pythonでみんなに使ってもらえるツールを作るためのテクニックを紹介していきます。

Section 02 ユーザーの入力によって プログラムに変化を与える

　テキスト一括置換プログラムを実行ファイルにするだけでは、コンソールが一瞬表示されるだけで消えてしまいました。この問題の解決策は単純です。次のようにP.109のプログラムの最終行にinput関数を追加するだけで、ユーザーはコンソールが閉じる前にプログラムのメッセージを確認できるようになります。

■ replace_text_2.py

```
034   print(f'{file_counter}ファイル 置換が完了しました')
035   input('Enterキーでプログラムを閉じます：') ……… この行を追加
```

　P.37で見たように、input関数が実行されればプログラムはユーザーの入力を受け付ける状態になります。最終行にinput関数を書くと、ユーザーが Enter キーを押すまでプログラムは終了せず、コンソールが表示されたままの状態が維持されます。

PyInputPlusで入力チェックを省く

　input関数の用途は、プログラムの実行をストップさせることだけではありません。P.46で見たように、ユーザーからの入力に応じて処理を分岐させれば、ユーザーの希望に沿ってプログラムの動作に変化を付けられます。

プログラムでユーザーからの入力を受け付ける際は、適切な入力チェックを行うことが重要です。これは「数値の入力を受け付けるとき、文字列が入力されていないか」「日付の入力を受け付けるとき、正しい形式で書かれているか」などのチェックのことで、正しく入力チェックが行われていないとエラーが発生する場合もあります。

```
input_number = int(input('数値を入力してください'))
```

文字列が入力されると、
エラーが発生する

　しかし、ユーザーが入力しそうなあらゆる「間違った入力のパターン」を想定して入力チェックをしようとすると、プログラムの行数がどんどん増えていってしまいます。そんなときに便利なのが、PyInputPlusというサードパーティ製パッケージです。
　PyInputPlusにはユーザーからの入力を受け付けるいろいろな関数が収録されていて、機能としてはinput関数に近いものとして使えますが、間違ったデータが入力された場合はもう一度入力を求めるのが特徴です。つまり、複雑な入力チェックを書かなくても、PyInputPlusが代わりにチェックを行ってくれるのです。
　PyInputPlusはサードパーティ製パッケージなので、まずはコマンドプロンプトで次のコマンドを実行してインストールします。

```
pip install pyinputplus
```

　P.39で数値の入力を求めて2倍にした結果を表示するプログラム（c2-3-6.py）を作ったとき、ユーザーから数値に変換できない文字列が入力されるとエラーが発生しました。そのプログラムを、PyInputPlusを使って作り直してみましょう。
　PyInputPlusのinputInt関数は、ユーザーからの整数の入力を受け付ける関数です。文字列など整数でないものが入力されるともう一度入力を求めるだけでなく、戻り値がint型なので変換しなくても数値計算に使える点でも、Python標準のinput関数より優れています。
　inputInt関数を使って、整数の入力を求めて2倍にした結果を表示するプログラムを作り直すと次のようになります。

■ c5-2-1.py

```
001  import pyinputplus
002
003
004  input_number = pyinputplus.inputInt('入力された整数を2倍にします: ')
005  print('2倍にすると', input_number * 2, 'です')
```

■ 実行結果

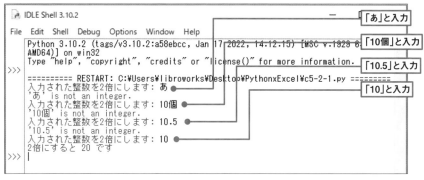

「あ」と入力
「10個」と入力
「10.5」と入力
「10」と入力

　inputInt関数はこのように、整数として正しい入力がされるまで何度でも入力を求めます。これによって、プログラムの中に入力チェックを書かなくても、常にユーザーから正しいデータが入力された場合のことだけを考えて処理を書くことができます。

　また、PyInputPlusには、inputInt関数以外にもさまざまな形式の入力を求める関数があります。戻り値の型もそれぞれのデータに合わせたものになっているので、変換する必要がありません。

■ PyInputPlusの主な関数

関数名	説明	戻り値の型
inputStr	文字列の入力を求める	str型
inputFloat	浮動小数点数の入力を求める	float型
inputChoice	引数のリストからどれを選択するかを求める	str型
inputBool	TrueかFalseの入力を求める	bool型
inputYesNo	YesかNoの入力を求める	str型

三連引用符で複数行の文字列を書く

　ユーザーに入力を求める際は、どんな値を入力すればいいかがわかりやすいメッセージを表示することが重要です。ただ、ユーザーを迷わせないために丁寧なメッセージを書こうとすると、どうしても文字数が長くなってしまいます。

　長い文字列を書くときに便利なのが、三連引用符です。これは、3つ連続したシングルクォーテーション (') またはダブルクォーテーション (") で文字列を囲むことで、改行を含む複数行の文字列を入力できるというものです。

■ c5-2-2.py

```
001  message_text = '''プログラムが正常に終了しました。
002  Enterキーでプログラムを閉じます: '''
003  print(message_text)
```

■ 実行結果

```
プログラムが正常に終了しました。
Enterキーでプログラムを閉じます:
```

置換するファイル形式を選択させる

　それでは、PyInputPlusでユーザーの入力を受け付けて、テキスト一括置換プログラムに変化を加えてみましょう。今回は、置換するファイルの拡張子を、.txt (テキストファイル) と.md (マークダウンファイル) のどちらかから選べるようにプログラムをカスタムします。

　マークダウンファイルとはテキストファイルに簡単な書式を加えて「見出し・小見出し・本文」のような構造を持たせたもので、データの中身は単純なテキストなので、テキストファイルと同じように置換処理を行うことができます。

　ユーザーにtxt形式とmd形式のどちらかを選択してもらうためには、PyInputPlusのinputChoice関数を使用します。inputChoice関数は1つめの引数としてユーザーに選んでもらう選択肢のリストを、2つめの引数としてユーザーに表示するメッセージを受け取ります。今回は、txtとmdの2つが選択肢なので、以下のように引数を指定します。

```
file_type = pyinputplus.inputChoice(['txt', 'md'], '''テキスト置換を行います。
対象とするファイルの拡張子を選択してください (txt/md): ''')
```

入力を促すメッセージの最後に（txt/md）と書くことで、ユーザーに選択肢を示しています。inputChoice関数は「txt」と「md」以外の文字列が入力されるともう一度入力を求めるので、変数file_typeの値は必ずこのどちらかになります。

ユーザーからの入力に応じて対象とするファイル形式を切り替えられるようにテキスト一括置換プログラムをカスタムするには、以下の部分を書き換えます。

■ replace_text_3.py

```
      ……省略……
011   file_type = pyinputplus.inputChoice(['txt', 'md'], '''テキスト置換を行います。
012   対象とするファイルの拡張子を選択してください（txt/md）: ''')  …………… 追加
013   book = openpyxl.load_workbook('replace_list.xlsx')
      ……省略……
028   for target_file in TARGET_FOLDER.glob(f'*.{file_type}'):  …………… 修正
029       print()
030       print(f'{target_file.name}のテキストを置換します')
      ……省略……
```

28行目では、P.111に登場したフォーマット済み文字列リテラルを使って、ファイルの形式を指定しています。ここでは、「*.txt」または「*.md」という文字列がglobメソッドに引数として渡されます。

```
for target_file in TARGET_FOLDER.glob(f'*.{file_type}'):
                                            md
                                          *.md
```

Section 03

ユーザーを戸惑わせない ためのエラー処理

　PyInputPlusを使うとユーザーの入力によるエラーを防ぐことはできますが、エラーが発生する原因は他にもさまざまなものがあります。例えば、テキスト一括置換プログラムでは、置換する語句のリストが書かれたExcelファイル（replace_list.xlsx）が同じフォルダー階層に存在していない場合にもエラーが発生します。

フォルダー

replace_text_3.py

replace_list.xlsx　→存在しないとエラーに

　このエラーが発生すると次のようなメッセージが表示されます。

```
====== RESTART: C:¥Users¥libroworks¥Desktop¥PythonxExcel¥replace_text_3.py ======
テキスト置換を行います。
対象とするファイルの拡張子を選択してください (txt/md) : txt
Traceback (most recent call last):
  File "C:¥Users¥libroworks¥Desktop¥PythonxExcel¥replace_text_3.py", line 15, in
<module>
    book = openpyxl.load_workbook('replace_list.xlsx')
  File "C:¥Users¥libroworks¥AppData¥Local¥Programs¥Python¥Python310¥lib¥site-pack
                                                                      archive = file(file, r")
  File "C:¥Users¥libroworks¥AppData¥Local¥Programs¥Python¥Python310¥lib¥zipfile.p
y", line 1240, in __init__
    self.fp = io.open(file, filemode)
FileNotFoundError: [Errno 2] No such file or directory: 'replace_list.xlsx'
>>> |
```

Ln: 19　Col: 0

　メッセージの最終行には、発生したエラーの種類と、発生した原因が書かれています。ここでは、「replace_list.xlsx」というファイルが存在しなかったことが原因で、FileNotFoundErrorという種類のエラーが発生したことがわかります。

エラーにはこのほかにもさまざまな種類のものがあります。主なものを次の表にまとめました。

主なエラーの種類

エラーの種類	発生する原因
SyntaxError	プログラムに文法的な誤りがある
IndentationError	適切にインデント（P.46参照）がされていない
NameError	変数などの名前が誤っている
ValueError	関数やメソッドに処理できないデータが渡されている
TypeError	関数やメソッドに誤った型のデータが渡されている
ZeroDivisionError	ゼロによる割り算を行おうとした
FileNotFoundError	指定されたファイルが存在しない
FileExistsError	すでに存在する名前のファイルを作成しようとした

try文にエラー発生時の対応を書く

　プログラムの実行中にエラーが発生すると、すでに何度か見たように赤い文字でエラーメッセージが表示され、プログラムの動作が止まってしまいます。プログラムを書いたあなたはそのメッセージを読んで原因を推測できるかもしれませんが、あなたが作ったツールのユーザーからすれば、原因もわからないまま突然に英語の長文が表示されてプログラムが停止するので、戸惑ってしまいます。

エラーが発生した場合

```
FileNotFoundError: [Errno 2] No such
file or directory: 'replace_list.xlsx'
```

　そこで、エラーが発生したときでもユーザーを戸惑わせないために、適切なエラー処理を組み込むことが重要になります。エラー処理とは、名前の通りエラーが発生したときに実行する処理のことで、例えばExcelファイルが存在しないことで発生したエラーに対しては、「Excelファイルを同じフォルダーに置いてください」というメッセージを出力することなどがエラー処理として考えられます。

エラーが発生した場合

Excelファイルを同じフォルダーに
置いてください

　Pythonには、エラー処理を行うためのtry文という仕組みがあります。try文には下図のように、エラーが発生するかもしれない処理を書くtry節、エラーが発生した場合に実行する処理を書くexcept節の2つが必要です。

```
try:
␣␣␣␣エラーが発生するかもしれない処理
except エラーの種類:
␣␣␣␣エラーが発生した場合に実行する処理
```

　try文がどのように動作するかを確かめるため、簡単なプログラムを書いて実行してみましょう。ここでは、input関数で入力された文字列をint関数で整数に変換できずに発生したエラーに対応します。
　except節には、まず対応するエラーの種類を書きます。整数に変換できないデータがint関数に渡された場合に発生するエラーの種類は、ValueErrorです。

■ c5-3-1.py

```
001  try:
002      input_number = int(input('整数を入力してください: '))
003      print(f'{input_number}が入力されました')
004  except ValueError:
005      print('整数に変換できない文字が入力されました')
```

　下の実行結果では、2行目のint関数でValueErrorが発生して、3行目のprint関数ではなくexcept節に書いたprint関数が実行されました。このように、try節の途中でエラーが発生した場合、try節の残りの処理は実行されずにexcept節の処理が即座に実行されます。

■ 実行結果
```
整数を入力してください：a
整数に変換できない文字が入力されました
```

except節を増やして複数のエラーに対応する

　except節は、指定された種類のエラーにしか対応できません。次のプログラムは、先ほどのプログラムを少し書き換えて、入力された整数で10を割った結果を表示するプログラムに書き換えたものです。

■ c5-3-2.py
```
001  try:
002      input_number = int(input('入力された整数で10を割ります：'))
003      print(f'{10 / input_number}')
004  except ValueError:
005      print('整数に変換できない文字が入力されました')
```

　このプログラムのtry節の中でValueErrorが発生した場合、except節に移動してエラー処理が行われますが、それ以外の種類のエラーが発生した場合はそのままプログラムの実行が停止してしまいます。
　プログラムに「0」を入力して、ZeroDivisionErrorという別のエラーを発生させて実行結果を確認してみましょう。

■ 実行結果
```
入力された整数で10を割ります：0
Traceback (most recent call last):
  File "C:/Users/libroworks/Desktop/PythonxExcel/c5-3-2.py", line 3, in <module>
    print(f'{10 / input_number}')
ZeroDivisionError: division by zero
```

except節に書いたメッセージではなく、Pythonからのエラーメッセージが表示されました。

try節の中で発生する複数のエラー（例外）に対応したいときは、except節を追加します。ValueErrorのexcept節の下に、ZeroDivisionErrorのexcept節を追加しましょう。

■ c5-3-3.py

```
001  try:
002      input_number = int(input('入力された整数で10を割ります： '))
003      print(f'{10 / input_number}')
004  except ValueError:
005      print('整数に変換できない文字が入力されました')
006  except ZeroDivisionError: ……………… except節をもう1つ追加
007      print('ゼロによる割り算は実行できません')
```

■ 実行結果

```
入力された整数で10を割ります： 0
ゼロによる割り算は実行できません
```

else節とfinally節に後処理を書く

try文には、try節とexcept節以外にも、else節、finally節も追加することができます。

```
try:
ㄴㄴㄴㄴエラーが発生するかもしれない処理
except エラーの種類:
ㄴㄴㄴㄴエラーが発生した場合に実行する処理
else:
ㄴㄴㄴㄴエラーが発生しなかった場合の処理
finally:
ㄴㄴㄴㄴ常に実行する処理
```

if文のelse節に書いた処理は「条件に当てはまらなかった場合」に実行されましたが、try文のelse節に書いた処理は「エラーが発生しなかった場合」に実行されます。ここには、try節の処理が正常に終わったときに実行したい処理を書きます。

finally節に書いた処理は、エラーが発生したかどうかにかかわらず必ず実行されます。try節の処理が終わった後に常に実行したい処理を書くときに使います。

先ほどの、入力された整数で10を割るプログラムに、正常に計算が終わった後に行う処理と、計算後に常に実行する処理を追加してみましょう。

■ c5-3-4.py

```
001  try:
002      input_number = int(input('入力された整数で10を割ります： '))
003      print(f'{10 / input_number}')
004  except ValueError:
005      print('整数に変換できない文字が入力されました')
006  except ZeroDivisionError:
007      print('ゼロによる割り算は実行できません')
008  else:  ················· else節に正常時の処理を追加
009      print('計算が終了しました')
010  finally:  ················· finally節に常に実行する処理を追加
011      input('Enter キーでプログラムを閉じます： ')
```

良いエラーメッセージを書くには

それでは、try文を使ってテキスト一括置換プログラムに「Excelファイルが存在しなかった場合にメッセージを表示する」というエラー処理を追加していきます。この処理を追加すると、あなたが作るツールのユーザーはエラーが発生しても戸惑わずに自分で解決策を探れるようになります。

実際にプログラムをカスタムしていく前に、エラーが発生したときにどんなメッセージを表示すればよいかを考えてみましょう。ユーザーがどの程度の知識を持っているかなどによってもメッセージの伝え方は変わるので、絶対的な基準があるわけではありませんが、良いエラーメッセージを書くには次の2つの点を満たすことが重要です。

1.ユーザーにエラーの原因をわかりやすく伝える
2.その原因を解消するための具体的な指示が含まれている

あくまで一例ですが、この2点を意識してExcelファイルが存在しなかった場合のエラーメッセージを書くと次のようになるでしょう。

```
print('''【エラー発生】
Excelファイルreplace_list.xlsxが見つかりませんでした。
このプログラムと同じ場所にExcelファイルreplace_list.xlsxを置いてください''')
```

テキスト一括置換プログラムにエラー処理を追加する

表示するエラーメッセージが決まったら、実際にプログラムにtry文を追加します。このプログラムでは、Excelファイルが見つからなかった場合はそれ以降の処理を実行できないので、Excelファイルを読み込む処理以降はすべてtry節に書くことになります。

try文を使ってコードを書き換えると以下のようになります。

■ replace_text_4.py

```
001  import openpyxl
002  import pathlib
003  import pyinputplus
004
005
006  READ_START_ROW_NO = 3 ·················· データ読み込みを開始する行
007  OLD_WORD_COL_NO = 2 ··················· 検索する文字列を入力する列
008  NEW_WORD_COL_NO = 4 ··················· 置換後の文字列を入力する列
009  TARGET_FOLDER = pathlib.Path('text') ·············· テキストファイルを格納するフォルダー
010
011  try:
012      file_type = pyinputplus.inputChoice(['txt', 'md'],
013      '''テキスト置換を行います。
014  対象とするファイルの拡張子を選択してください (txt/md): ''')
015      book = openpyxl.load_workbook('replace_list.xlsx')
016      sheet = book.active
017      old_words = [] ···························· 検索する文字列のリスト
018      new_words = [] ···························· 置換後の文字列のリスト
019      for i in range(READ_START_ROW_NO, sheet.max_row+1):
020          old_word = sheet.cell(i, OLD_WORD_COL_NO).value
021          new_word = sheet.cell(i, NEW_WORD_COL_NO).value
022          if old_word is None: ······················· 検索する文字列が空白である場合
```

```
023            break ························· そこで繰り返し処理を終了
024        if new_word is None: ········· 置換後の文字列が空白である場合
025            new_word = '' ··············· 空文字に変換
026        old_words.append(str(old_word)) ··········· 検索する文字列をリストに追加
027        new_words.append(str(new_word)) ··········· 置換後の文字列をリストに追加
028        print(f'{old_word}→{new_word}') ······· メッセージを表示
029    file_counter = 0
030    for target_file in TARGET_FOLDER.glob(f'*.{file_type}'):
031        print()
032        print(f'{target_file.name}のテキストを置換します')
033        file_text = target_file.read_text(encoding='UTF-8')
034        for i in range(len(old_words)):
035            file_text = file_text.replace(old_words[i], new_words[i])
036        target_file.write_text(file_text, encoding='UTF-8')
037        file_counter += 1
038    print()
039    print(f'{file_counter}ファイル 置換が完了しました')
040 except FileNotFoundError: ·················· except節を追加
041    print('''【エラー発生】
042 Excelファイルreplace_list.xlsxが見つかりませんでした。
043 このプログラムと同じ場所にExcelファイルreplace_list.xlsxを置いてください''')
044 finally: ·················· finally節を追加
045    input('Enterキーでプログラムを閉じます：')
```

11行目から39行目までがtry節になっているので、この中でFileNotFoundError
が発生したら即座に40行目からのexcept節に移動します。

■ replace_text_4.py

```
011 try:
    ······省略······
040 except FileNotFoundError: ·················· except節を追加
041    print('''【エラー発生】
042 Excelファイルreplace_list.xlsxが見つかりませんでした。
043 このプログラムと同じ場所にExcelファイルreplace_list.xlsxを置いてください''')
```

12行目から14行目ではPyInputPlusのinputChoice関数でユーザーに選択を求めて
いますが、改行のタイミングに注目してください。Pythonではカッコ類の中では改
行が許されているので、12行目の文字数を少なくするために1つめの引数のリストの

後で改行をしています。

13行目と14行目では三連引用符で囲んで改行を含む文字列を書いています。改行後にインデントを入れてしまうとその空白文字も文字列に含まれてしまうので、14行目はインデントなしで書いています。

■ replace_text_4.py

```
012    file_type = pyinputplus.inputChoice(['txt', 'md'],
013    '''テキスト置換を行います。
014 対象とするファイルの拡張子を選択してください（txt/md）：''')
```

44行目からのfinally節では、input関数を実行しています。これによって、エラーが発生した場合も発生しなかった場合も、最後にinput関数でユーザーの入力を受け付けてからプログラムを終了します。

■ replace_text_4.py

```
044 finally: ……………………………… finally節を追加
045     input('Enterキーでプログラムを閉じます：')
```

新たなエラーが見つかったら

ここではtry文を使ったエラー処理の基本を説明しましたが、あなたが作ったツールをみんなに使ってもらうと、開発するときには気付かなかった未知のエラーが発生するかもしれません。

そんなときは、開発者であるあなたが以下のような手順でプログラムに新しいエラー処理を組み込むことで、よりエラーに強いツールにすることができます。

1. エラーメッセージを読んで原因を把握する
2. エラーの解決策を考える
3. プログラムにエラー処理を組み込んで、エラーの原因と解決策をユーザーにわかりやすく伝えるエラーメッセージを書く
4. 修正したプログラムをもう一度みんなに配布する

適切なエラーメッセージを表示できれば、エラーが発生したときでもユーザーは自分自身で問題を解決できるので、ツールでトラブルが起こるたびにあなたが呼び出されることもなくなります。

Section 04 ダイアログウィンドウで ユーザーの操作を受け付ける

　ここまで作ってきたツールでは、文字だけが表示されるコンソールでユーザーの操作を受け付けていましたが、ユーザーの中にはコンソールの扱いに慣れておらず、操作しづらいと感じる人もいるかもしれません。コンソールのように、文字だけで入力を受け付ける操作方式をCUI（Character-based User Interface）といいますが、CUIのツールには不慣れな人も多くいるでしょう。

　CUIに対して、画面に表示されたアイコンをマウスで指し示すなど、視覚的な要素を使って操作する方式をGUI（Graphical User Interface）といいます。私たちが普段使っているツールの多くはGUIで作られています。

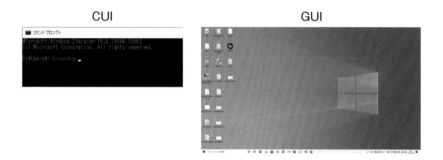

CUI　　　　　　　　　　　　　　　　GUI

　PythonでGUIのツールを作ることもできるのですが、そのためには多くの予備知識が必要です。そこで、ここではダイアログウィンドウを使ってユーザーの操作を受け付ける方法を紹介します。

ダイアログウィンドウでメッセージを表示する

　ダイアログウィンドウとは、画面上にメッセージを出したり、ファイルやフォルダーを選択させるために表示される小さなウィンドウのことです。

ダイアログウィンドウ

　ダイアログウィンドウは多くのユーザーにとって見慣れたものなので、CUIのコンソールよりもこちらのほうが使いやすいと感じる人が多いでしょう。

　Pythonでダイアログウィンドウを表示するには、標準ライブラリのTkinterというモジュールを使用します。これは標準ライブラリに入っているモジュールなので、pipコマンドでインストールする必要はありません。

　まずは、ダイアログウィンドウを使って簡単なメッセージを表示してみましょう。Tkinterのmesseageboxというモジュールからshowinfo関数を呼び出します。

■ c5-4-1.py

```
001  import tkinter.messagebox as mb
002
003
004  mb.showinfo('プログラムより', 'メッセージを表示します')
```

■ 実行結果

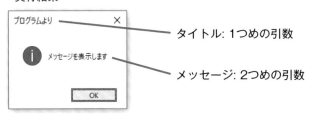

タイトル: 1つめの引数

メッセージ: 2つめの引数

　プログラムに書いた通りのメッセージがダイアログウィンドウで表示されました。showinfo関数には、1つめの引数としてウィンドウのタイトルを、2つめの引数としてメッセージを渡します。

ユーザーに2択の選択を求める

　次は、ダイアログウィンドウを使ってユーザーに「はい」か「いいえ」の2択を求めてみましょう。messageboxのaskyesno関数は［はい］と［いいえ］のボタンがあるウィンドウを表示し、［はい］が押されればTrueを、［いいえ］が押されればFalseを返します。

　［はい］と［いいえ］のどちらが押されたかによって表示されるメッセージが変わるプログラムを書いてみましょう。

■ c5-4-2.py

```
001  import tkinter.messagebox as mb
002
003
004  yesno = mb.askyesno('クイズ', 'try文には必ずelse節がなければいけない?')
005  if yesno:
006      mb.showinfo('不正解', 'try文に必須なのはtry節とexcept節です')
007  else:
008      mb.showinfo('正解', 'おめでとうございます!')
```

■ 実行結果

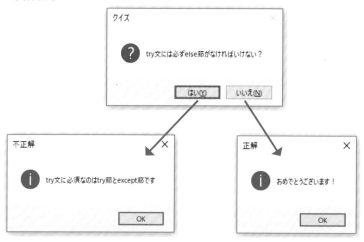

ユーザーに入力を求める

Tkinterのsimpledialogモジュールには、ユーザーに1行の文字列や数値の入力を求める関数が定義されています。整数の入力を受け付けるaskinteger関数を使ったプログラムを実行してみましょう。

■ c5-4-3.py

```
001  import tkinter.messagebox as mb
002  import tkinter.simpledialog as sd
003
004
005  input_number = sd.askinteger('整数の入力', '入力された整数を2倍にします')
006  mb.showinfo('計算結果', f'結果は{input_number*2}です')
```

■ 実行結果

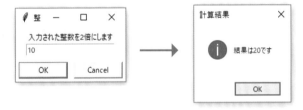

askinteger関数は、PyInputPlusのinputInt関数と同じく、整数に変換できない値が入力されるともう一度入力を求めます。

simpledialogモジュールには、askinteger関数以外にも以下のような関数があります。

■ simpledialogモジュールの関数

関数名	説明
askfloat	浮動小数点数の入力を求める
askstring	文字列の入力を求める

値が入力されなかった場合に備える

先ほどの整数の入力を求めるプログラムで、数値を入力せずに［Cancel］のボタンを押すと次のようなエラーが発生します。

■ 実行結果

```
Traceback (most recent call last):
  File "C:/Users/libroworks/Desktop/PythonxExcel/c5-4-3.py", line 6, in <module>
    mb.showinfo('計算結果', f'結果は{input_number*2}です')
TypeError: unsupported operand type(s) for *: 'NoneType' and 'int'
```

これは［Cancel］のボタンが押された場合にaskinteger関数の戻り値がNone（P.100
参照）になることが原因で、Noneと数値2の掛け算を行おうとしてエラーが発生して
います。

ユーザーが誤って［Cancel］ボタンを押してしまうことも考えられるので、次のよ
うにif文で処理を分岐させてエラーの発生を防ぐなどの工夫が必要です。

■ c5-4-4.py

```
001 import tkinter.messagebox as mb
002 import tkinter.simpledialog as sd
003
004
005 input_number = sd.askinteger('整数の入力', '入力された整数を2倍にします')
006 if input_number is None:
007     mb.showinfo('実行停止', '整数が入力されませんでした')
008 else:
009     mb.showinfo('計算結果', f'結果は{input_number*2}です')
```

ユーザーにファイルやフォルダーを選択してもらう

Microsoft Officeのアプリなどで、開くファイルやフォルダーを指定するときにダ
イアログウィンドウが表示されることがよくあります。Tkinterには、ファイル、フォ
ルダーの指定を求めるためのfiledialogというモジュールがあります。

ユーザーにファイルの選択を求めて、選択されたファイル名を戻り値として返す
askopenfilename関数を実行してみましょう。キーワード引数titleに文字列を渡して、
ダイアログウィンドウ左上のタイトルを設定しています。

■ c5-4-5.py

```
001 import tkinter.messagebox as mb
002 import tkinter.filedialog as fd
```

```
003
004
005  file_name = fd.askopenfilename(title='ファイルの選択')
006  mb.showinfo('結果', f'{file_name}が選択されました')
```

■ 実行結果

askopenfilenameの戻り値は、最上位のフォルダーからの位置関係を表す絶対パス
で返ってきます。

最初に開くフォルダー、ファイルの種類を指定する

「このフォルダーにある、この拡張子のファイルを選択してほしい」という情報が
あらかじめ決まっている場合は、askopenfilename関数にそれぞれinitialdir、
filetypesというキーワード引数を指定します。

initialdirには相対パスで最初に開くフォルダーを指定します。次のプログラムの
ように './ 'と書くことで、「そのプログラムがあるフォルダー」が最初に開きます。

filetypesには、複数のデータを丸カッコで囲むタプルというデータをリストに入れ
て渡します。

■ c5-4-6.py

```
001  import tkinter.messagebox as mb
002  import tkinter.filedialog as fd
003
004
005  file_name = fd.askopenfilename(title='ファイルの選択',
006                                 initialdir='./',
007                                 filetypes=[('Pythonファイル', '.py')])
008  mb.showinfo('結果', f'{file_name}が選択されました')
```

　ファイル選択のダイアログを見ると、拡張子が.pyであるPythonファイルしか選択できないようになっています。以下の図で、キーワード引数filetypesに渡したデータがどのように反映されているかを示しています。

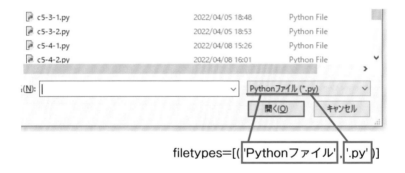

```
filetypes=[('Pythonファイル', '.py')]
```

テキスト一括置換プログラムをダイアログで操作する

　ここまでに学んだダイアログウィンドウの知識を使って、テキスト一括置換プログラムをダイアログウィンドウで操作するプログラムにカスタムしてみましょう。
　具体的には、次の3つの操作をダイアログウィンドウから受け付けるようにします。

1. 対象とするファイル形式（txt/md）を選択してもらう
2. 「検索する文字列」と「置換後の文字列」が書かれたExcelファイルを指定してもらう
3. 置換するファイルが格納されたフォルダーを指定してもらう

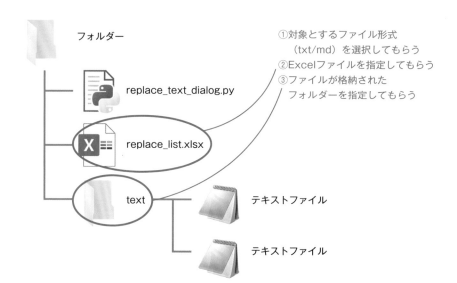

①対象とするファイル形式
　（txt/md）を選択してもらう
②Excelファイルを指定してもらう
③ファイルが格納された
　フォルダーを指定してもらう

フォルダー

replace_text_dialog.py

replace_list.xlsx

text

テキストファイル

テキストファイル

　このようなプログラムにしておくことで、読み込むExcelファイルやフォルダーの名前をユーザーが変更してしまっても対応できるというメリットがあります。

　それでは、実際にカスタムしたプログラムを見てみましょう。プログラムの行数は長いですが、ダイアログウィンドウを表示する部分が多くを占めています。

■ replace_text_dialog.py

```
001   import tkinter.messagebox as mb
002   import tkinter.simpledialog as sd
003   import tkinter.filedialog as fd
004   import openpyxl
005   import pathlib
006
007
008   READ_START_ROW_NO = 3 ················· データ読み込みを開始する行
009   OLD_WORD_COL_NO = 2 ··················· 検索する文字列を入力する列
010   NEW_WORD_COL_NO = 4 ··················· 置換後の文字列を入力する列
011
012   file_type = sd.askstring('ファイル形式選択',
013                            '''テキスト置換を行います。
014   対象とするファイルの拡張子を選択してください''',
015                            initialvalue='txt')
```

```
016 excel_book_name = fd.askopenfilename(title='読み込むExcelファイルを'
017                                       '選択してください',
018                                       initialdir='./',
019                                       initialfile='replace_list.xlsx',
020                                       filetypes=[('Excelブック','.xlsx')])
021 target_folder_name = fd.askdirectory(title='ファイルがあるフォルダーを'
022                                       '選択してください',
023                                       initialdir='./')
024 if file_type and excel_book_name and target_folder_name:
025     book = openpyxl.load_workbook(excel_book_name)
026     sheet = book.active
027     old_words = []                              ······ 検索する文字列のリスト
028     new_words = []                              ······ 置換後の文字列のリスト
029     for i in range(READ_START_ROW_NO, sheet.max_row+1):
030         old_word = sheet.cell(i, OLD_WORD_COL_NO).value
031         new_word = sheet.cell(i, NEW_WORD_COL_NO).value
032         if old_word is None:                    ······ 検索する文字列が空白である場合
033             break                               ······ そこで繰り返し処理を終了
034         if new_word is None:                    ······ 置換後の文字列が空白である場合
035             new_word = ''                       ······ 空文字に変換
036         old_words.append(str(old_word))         ····· 検索する文字列をリストに追加
037         new_words.append(str(new_word))         ····· 置換後の文字列をリストに追加
038     file_counter = 0
039     target_folder = pathlib.Path(target_folder_name)
040     for target_file in target_folder.glob(f'*.{file_type}'):
041         file_text = target_file.read_text(encoding='UTF-8')
042         for i in range(len(old_words)):
043             file_text = file_text.replace(old_words[i], new_words[i])
044         target_file.write_text(file_text, encoding='UTF-8')
045         file_counter += 1
046     mb.showinfo('実行完了', f'{file_counter}個のファイルを置換しました')
047 else:
048     mb.showinfo('実行中止', '置換するファイルの拡張子、'
049             '読み込むExcelファイル、'
050             'ファイルがあるフォルダーのいずれかが指定されませんでした')
```

　12行目で、askstring関数を使ってユーザーに置換対象とするファイル形式（txt/md）の選択を求めます。キーワード引数initialvalueに引数を渡すことで、入力文字の初期値を指定しています。

initialvalue='txt'

■ replace_text_dialog.py

```
012  file_type = sd.askstring('ファイル形式選択',
013                           '''テキスト置換を行います。
014  対象とするファイルの拡張子を選択してください''',
015                           initialvalue='txt')
```

　次に、16行目でaskopenfilename関数で読み込むExcelファイルを選択してもらいます。キーワード引数titleに注目すると、引用符で囲まれた2つの文字列が改行を挟んで書かれています。Pythonでは、このように連続して並んでいる文字列リテラル（引用符で囲まれた文字列）は演算子＋がなくても連結されます。ここでは1行が長くなりすぎるのを防ぐためにこのテクニックを使っています。

　キーワード引数initialdirとfiletypesについてはすでに説明しましたが、initialfileには初期状態で選ばれているファイル名を指定できます。これによって、ユーザーがファイル名をクリックする手間を省けます。

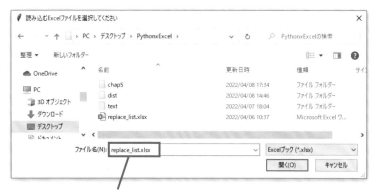

initialfile='replace_list.xlsx'

■ replace_text_dialog.py

```
016  excel_book_name = fd.askopenfilename(title='読み込むExcelファイルを'
017                                        '選択してください',
018                                        initialdir='./',
019                                        initialfile='replace_list.xlsx',
020                                        filetype=[('Excelブック','.xlsx')])
```

21行目ではaskdirectory関数というフォルダーの選択を求める関数を使っています。この関数はaskopenfilename関数と同じように選択されたフォルダー名を文字列型で返します。

■ replace_text_dialog.py

```
021  target_folder_name = fd.askdirectory(title='ファイルがあるフォルダーを'
022                                        '選択してください',
023                                        initialdir='./')
```

ブール演算子で真偽値を計算する

24行目では、ダイアログで選択された3つの変数をand演算子でつないだものをif文の条件として使っています。

ダイアログウィンドウでユーザーからの入力がなかったり、ファイルが選択されなかったりすると、これらの変数はNoneや空文字列になります。P.51で見たようにNoneや空文字列はif文ではFalseと判定されます。

and演算子は真偽値を受け取って結果を計算するブール演算子の1つで、左辺と右辺から受け取った真偽値が両方ともTrueであればTrueを、それ以外の場合はFalseを返します。

ここでは、3つの変数をand演算子をつないでいるので、3つすべてがTrueである場合のみ、if文の処理を行います。つまり、このif文は「3つのダイアログウィンドウのすべてで正しく入力や選択が行われていれば以下の処理を行う」という意味になります。

■ replace_text_dialog.py

```
024  if file_type and excel_book_name and target_folder_name:
```

Excelファイルで入力を
制御する

ここまで、Pythonプログラムで入力チェックやエラー処理を行う方法を解説してきましたが、Excelファイルからデータを読み取るプログラムでは、セルに入力されている値が原因でエラーが発生することも考えられます。

それを防ぐために、ここではExcelファイルでユーザーの入力を制御する方法を学んでいきましょう。

セルに入力できる文字数を制限する

ユーザーがセルに入力できる値を制御するには、データの入力規則という機能を使ってセルの値のルールを追加します。この機能を使えばセルの入力にいろいろな制限を加えることができますが、まずはセルに入力できる文字数を制限する方法を紹介します。

初めにルールを追加したいセル範囲を選択してから、画面上部のリボンで［データ］タブにある［データの入力規則］のメニューを選択します。

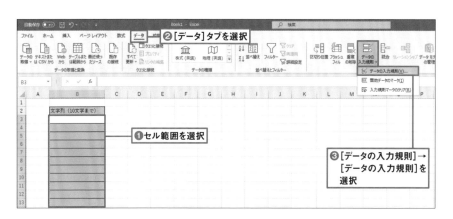

［データの入力規則］のダイアログボックスが表示されるので、「入力値の種類」で［文字列（長さ指定）］を選択。文字数の最小値と最大値を入力した後、［OK］をクリックします。

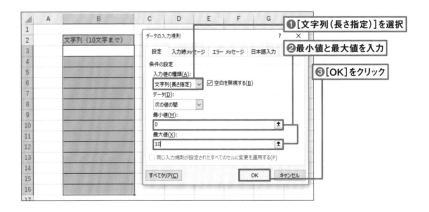

これでセルに入力できる文字数に関するルールを追加できました。11文字以上の文字を入力しようとすると、警告が表示されてセルの値を編集するように求められます。

ただし、ここで表示される警告はエラーメッセージとしては不親切で、ユーザーの立場からは何をすればよいのかわからないので、図の例のように見出し行に「文字列（10文字まで）」と記載しておくなどの配慮を忘れないようにしてください。

エラーメッセージを編集する

見出し行の文言などでフォローしきれない場合は、ルールに違反する値が入力されたときのエラーメッセージを編集することもできます。［データの入力規則］のダイアログボックスで［エラーメッセージ］のタブをクリックして、メッセージの内容を編集してみましょう。

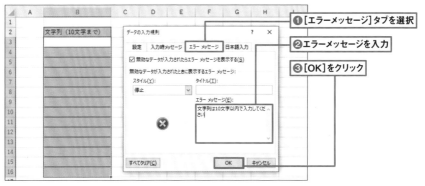

❶[エラーメッセージ]タブを選択

❷エラーメッセージを入力

❸[OK]をクリック

ルールに違反する値が入力された
ときのエラーメッセージが変わる

入力可能な値のリストから選択させる

　ユーザーに入力してもらう文字があらかじめ限定されている場合は、限られた選択
肢の中からユーザーに値を選択してもらう形式にするのが便利です。セルの値を選択
式にすることで、ユーザーの入力ミスを防ぐことができるだけでなく、意図しない値
が入力されるのを防ぐこともできます。

　セルの入力形式を選択式にするには、先ほどと同じ手順で［データの入力規則］の
ダイアログボックスを表示してから「入力値の種類」を［リスト］に設定し、「元の値」
欄に選択肢をカンマで区切って記入します。

❶[リスト]を選択

❷選択肢をカンマ
区切りで記入

選択肢の数が多い場合は、セルに1つずつ選択肢を入力して「元の値」欄にはそのセル範囲を指定する方法が便利です。

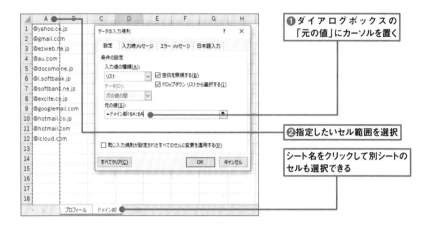

エラーの許容度を変更する

セルの値をリストから選択する方式にする場合でも、「基本的にはリストから値を選んでほしいが、それ以外の値の入力も受け付けたい」というようにルールを柔軟に変更したいケースもあります。

そのようなときは、［データの入力規則］のダイアログボックスの［エラーメッセージ］タブにある、「スタイル」という設定項目を利用します。既定では「停止」が選択されていますが、これを「注意」に変更してみましょう。

すると、次のような注意のメッセージが表示されます。

ルールに違反する値が
入力されたとき、注意の
メッセージが表示される

「スタイル」が「注意」に設定されていると、ユーザーは表示されたメッセージを確認したうえで、入力値が正しい場合は［はい］を、そうでない場合は［いいえ］をクリックして選択できます。［はい］を選べば、リストにない値も受け付けられます。

「情報」を選択すると、メッセージの形式が次のように変わります。機能としては「注意」と似たものなので、エラーをどれくらい許容するかに応じて使い分けるとよいでしょう。

入力時にメッセージを表示する

ユーザーにデータを入力してもらうとき、間違った値が入力されてからエラーメッセージを表示するより、最初から正しい値を入力できるように誘導するほうが親切なツールといえるでしょう。次の手順でセルに入力時メッセージを設定すると、ユーザーがセルにカーソルを置いたときにメッセージを表示できます。

❶［入力時メッセージ］
タブを選択

❷メッセージを入力

❸［OK］をクリック

セルにカーソルを置くと
メッセージが表示される

入力欄以外の編集を禁止する

本書ではExcelファイルからデータを読み込むPythonプログラムを作ってきましたが、多くのPythonプログラムでは「データの読み取りを開始する行の番号」や「データを入力する列の番号」を定数に代入していました。

```
START_ROW_NO = 3 ················ データ入力を開始する行
ADDRESS_COL_NO = 3 ·············· メールアドレスの列
DOMAIN_COL_NO = 4 ··············· メールドメインの列
```

そのため、もしもユーザーが入力欄の行や列をずらしたり、入力欄ではないセルに値を入力したりすると、意図しない動作をしてしまう可能性があります。

列を移動されると
データが読み込まれない

この行から入力しないと
データが読み込まれない

ユーザーに正しくデータを入力してもらうためには、入力欄以外のセルを編集できないようにしておくのが有効です。シートの保護という機能を使えば、ユーザーによるシートの編集を禁止できます。

シートの保護機能はシート単位で編集を禁止してしまうので、まずは入力欄のセルだけを対象外にするように設定します。それには、セル範囲を選択して右クリックして［セルの書式設定］を選択し、書式設定のダイアログボックスを開きます。

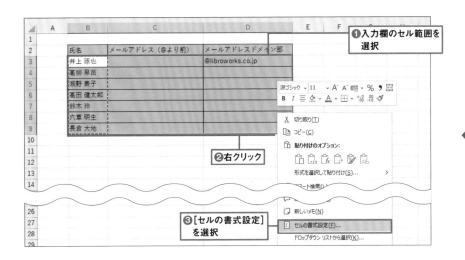

［セルの書式設定］のダイアログボックスが開いたら、［保護］タブをクリックして「ロック」という項目のチェックを外します。

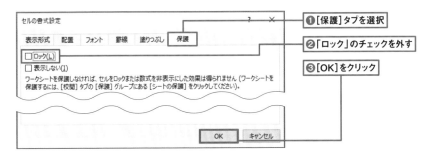

これで、シートの保護機能を使っても入力欄のセルだけは編集できるようになります。続いて、それ以外のセルの編集を禁止します。画面上部のリボンから［校閲］タブをクリックして、［シートの保護］をクリックしましょう。

［シートの保護］のダイアログボックスで、保護を解除するためのパスワードを入力してから（空白でも可）、ユーザーに許可する操作をチェックボックスで選択して、［OK］をクリックします。

設定が完了した後で、入力欄以外のセルを編集しようとするとメッセージが表示され、操作が受け付けられません。

Excelでできる入力制御はExcelで

本書では「命令はPythonファイル、データはExcelファイルで指定する」ことでユーザーが使いやすいツールを作ることを目指していますが、Pythonで入力チェックを行うよりExcelファイルで入力制御を行うほうが簡単であるケースは少なくありません。どちらか片方だけで機能を完結させるのではなく、それぞれの長所を生かしてツールを開発しましょう。

第**6**章

▼

Python×Excelで
ファイル・フォルダー操作

▲

Python×Excel

Section 01 Excelファイルの コピーツールを作る

　ファイル名を変更する、ファイルをコピーするなどの作業は誰もが行う単純な作業ですが、誰もが行う作業だからこそ、それを自動化できるツールを作れば多くの人の役に立つことができます。

　ここでは、Excelファイルを大量にコピーするツールを作ります。P.104ですでに役割が似たプログラム（copy_excel_book.py）を紹介しましたが、今回は別のExcelファイルからデータを読み取るのではなくコンソールだけで操作が完結するプログラムにします。

ファイル名の付け方を3通りから選択

　今回のツールでは、コピーしたExcelファイルにどんなファイル名を付けるかを「数値」「日付」「自分で入力する」の3つから選択できるようにします。コピーするExcelファイルの名前が「元ファイル.xlsx」だった場合、コピー後のファイル名は以下のようになります。

1. 数値……元のファイル名の後ろに連番を付ける

 元ファイル_1.xlsx 　　 元ファイル_2.xlsx 　……

2. 日付……元のファイル名の後ろに連続した日付を付ける

 元ファイル_20220131.xlsx 　　 元ファイル_20220201.xlsx 　……

3. 自分で入力する……元のファイル名の後ろに任意の文字列を付ける

 元ファイル_東京本店.xlsx 　　 元ファイル_大阪支店.xlsx 　……

プログラムは次のようになります。3通りの方法を書く必要があるのでプログラム
の行数は多くなりますが、これまでに学んできたことを応用している部分がほとん
です。

■ excel_copy_tool.py

```
001  import tkinter.filedialog as fd
002  import openpyxl
003  import pyinputplus
004  import os
005  import datetime as dt
006
007
008  print('コピーするExcelファイルを選択してください')
009  copy_book_name = fd.askopenfilename(title='コピーするExcelファイルを'
010                                            '選択してください',
011                                            initialdir='./',
012                                            filetype=[('Excelブック','.xlsx')])
013  copy_mode = pyinputplus.inputChoice(['1', '2', '3'],
014  '''コピー後、ファイル名の後ろにどんな文字を追加するか選んでください
015  1. 数値（例：○○_1.xlsx, ○○_2.xlsx…）
016  2. 日付（例：○○_20220101.xlsx, ○○_20220102.xlsx…）
017  3. 自分で入力する
018  ''')
019  copy_book = openpyxl.load_workbook(copy_book_name)
020  file_name_list = []  ……………  コピー後のファイル名のリスト
021  if copy_mode == '1':  …………  数値が選択された場合
022      book_number = pyinputplus.inputInt('いくつコピーしますか？（100以下）: ',
023                                          greaterThan=0, lessThan=101)
024      file_name_list = [str(number) for number in range(1, book_number+1)]
025  elif copy_mode == '2':  ………  日付が選択された場合
026      start_date = pyinputplus.inputDate('''最初の日付を入力してください
027  （例: 2022/01/01）: ''')
028      end_date = pyinputplus.inputDate('''最後の日付を入力してください
029  （例: 2022/12/31）: ''')
030      period = (end_date - start_date).days + 1  ……………  日数を求める
031      if period >= 100:  …………  100日以上の場合
032          period = 100  …………  100日分までしか作成しない
033      date_list = [start_date + dt.timedelta(days=i) for i in range(period)]
```

```
034     file_name_list = [date.strftime('%Y%m%d') for date in date_list]
035 elif copy_mode == '3': ……… ユーザーが入力する場合
036     input_string = pyinputplus.inputStr('作成したいファイルの数だけ'
037     '''ファイル名の後ろに追加する文字をカンマで区切って入力してください
038 (例: a,b,c): ''')
039     file_name_list = input_string.split(',')
040 for file_name in file_name_list:
041     new_book_stem = copy_book_name.split('.')[0] + '_' + file_name
042     new_book_name = f'{new_book_stem}.xlsx'
043     if os.path.exists(new_book_name): ……………… 同名のファイルがすでに存在する場合
044         print(f'{new_book_name}はすでに存在します')
045     else: …………………… 同名のファイルが存在しない場合
046         copy_book.save(new_book_name)
047         print(f'{new_book_name}を作成しました')
```

　初めに、import文で5つのモジュールをインポートします。新しく登場しているのは、コンピューターのオペレーティングシステムの機能を使うosモジュールと、日付や時間に関するデータを扱うdatetimeモジュールの2つです。

■ excel_copy_tool.py

```
001 import tkinter.filedialog as fd
002 import openpyxl
003 import pyinputplus
004 import os
005 import datetime as dt
```

　9行目で、Tkinterのfiledialogモジュールからaskopenfilename関数（P.140参照）を使ってコピーするExcelファイルをユーザーに選択してもらいます。

■ excel_copy_tool.py

```
009 copy_book_name = fd.askopenfilename(title='コピーするExcelファイルを'
010                                     '選択してください',
011                                     initialdir='./',
012                                     filetype=[('Excelブック','.xlsx')])
```

　13行目で、PyInputPlusのinputChoice関数でコピー後のファイル名について3択の選択肢を提示しています。inputChoice関数は引数のリストにある要素しか正しい入力とは見なさないので、変数copy_modeには必ず1から3のどれかが代入されます。

■ excel_copy_tool.py

```
013   copy_mode = pyinputplus.inputChoice(['1', '2', '3'],
014   '''コピー後、ファイル名の後ろにどんな文字を追加するか選んでください
015   1. 数値（例：○○_1.xlsx, ○○_2.xlsx…）
016   2. 日付（例：○○_20220101.xlsx, ○○_20220102.xlsx…）
017   3. 自分で入力する
018   ''')
```

　20行目では、コピー後のファイル名のリストを作成しています。この後、このリストの要素の数だけExcelファイルのコピーが作成されます。

6章

Python×Excelでファイル・フォルダー操作

■ excel_copy_tool.py

```
020   file_name_list = [] ⋯⋯⋯⋯⋯ コピー後のファイル名のリスト
```

　21行目から、変数copy_modeの値によって処理が分岐するif文が始まっています。「数値」が選択された場合、コピーをいくつ作るかPyInputPlusのinputInt関数でユーザーに入力を求めますが、キーワード引数greaterThanに0、lessThanに101を指定しているため、0より大きく101より小さい整数でないといけません。

■ excel_copy_tool.py

```
021   if copy_mode == '1': ⋯⋯⋯⋯⋯ 数値が選択された場合
022       book_number = pyinputplus.inputInt('いくつコピーしますか？（100以下）: ',
023                                     greaterThan=0, lessThan=101)
```

日付を表すdateクラス

　「日付」が選択された場合、PyInputPlusのinputDate関数で最初の日付と最後の日付の入力を求めますが、この関数の戻り値はdatetimeモジュールのdateクラスという型です。2つの名前が似ているので少し複雑ですが、datetimeモジュールは日付と時刻を扱うためのモジュールで、dateクラスは日付を表すデータ型です。

■ excel_copy_tool.py

```
025   elif copy_mode == '2': ⋯⋯⋯⋯ 日付が選択された場合
026       start_date = pyinputplus.inputDate('''最初の日付を入力してください
027   （例：2022/01/01）: ''')
028       end_date = pyinputplus.inputDate('''最後の日付を入力してください
029   （例：2022/12/31）: ''')
```

時間差を表すtimedeltaクラス

30行目では、dateクラスの変数end_dateから変数start_dateを引いて、2つの日付の間の日数を計算し、それに1を足してコピーする数を求めています。

■ excel_copy_tool.py

```
030    period = (end_date - start_date).days + 1 ················· 日数を求める
```

dateクラスのデータ同士を引き算すると、計算結果は時間の差を表すtimedeltaクラスという型になります。dateクラスとtimedeltaクラスの関係を図に表すと次のようになります。

33行目では、内包表記（P.89参照）を使って変数date_listにstart_dateからend_dateまでのすべての日付を格納しています。

■ excel_copy_tool.py

```
033    date_list = [start_date + dt.timedelta(days=i) for i in range(period)]
```

ここでは、次の図のようにtimedeltaクラスを使ってstart_dateに足す日付を1日ずつ増やしていくことでリストを作成しています。

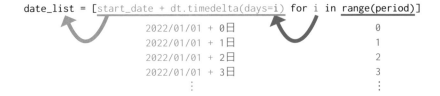

34行目で、前の行で作成した日付のリストを文字列型に変換しています。date クラスのstrftime メソッドは日付や時刻のデータを文字列に変換するメソッドですが、引数を渡してどんな書式で文字列にするかを指定できます。

■ strftime メソッドの引数の書式

書き方	意味	例
%Y	西暦4桁	1900, 2022
%m	月2桁	01, 10, 12
%d	日2桁	01, 10, 30
%H	時2桁（24時間表記）	01, 10, 30
%M	分2桁	01, 10, 59
%S	秒2桁	01, 10, 59

■ excel_copy_tool.py

```
034     file_name_list = [date.strftime('%Y%m%d') for date in date_list]
```

文字列を分割してリストにする

「自分で入力する」が選択された場合、ユーザーにカンマ区切りで文字列を入力するよう求めます。

inputStr関数の戻り値は文字列型なので、39行目で文字列のsplit メソッドを使ってこれをリストにしています。

■ excel_copy_tool.py

```
035  elif copy_mode == '3':   ……… ユーザーが入力する場合
036      input_string = pyinputplus.inputStr('作成したいファイルの数だけ'
037      '''ファイル名の後ろに追加する文字をカンマで区切って入力してください
038  (例：a,b,c): ''')
039      file_name_list = input_string.split(',')
```

splitメソッドは、引数として受け取った文字列を区切りとして文字列を分割するメソッドです。ここでは、カンマを区切り文字に指定しています。

'文字列1,文字列2,文字列3'.split(',')

['文字列1', '文字列2', '文字列3']

40行目からのfor文で、変数file_name_listの要素の数だけファイルのコピーを作成します。

41行目ではコピー元になるExcelファイルの「.」より前の部分をsplitメソッドで取り出して、変数file_nameと連結することで新しいファイル名を作っています。

■ excel_copy_tool.py

```
040  for file_name in file_name_list:
041      new_book_stem = copy_book_name.split('.')[0] + '_' + file_name
042      new_book_name = f'{new_book_stem}.xlsx'
```

'元ファイル.xlsx'　　　　　['元ファイル', 'xlsx']　　　　　'元ファイル'

splitメソッドでリストに　　　　インデックス0の要素を取り出す

ファイルが存在するかを確かめる

openpyxlのsaveメソッドでは、同じフォルダーに同じ名前のExcelファイルを保存しようとするとエラーが発生します。それを避けるため、43行目からのif文では、作成しようとしている名前のファイルがすでに存在する場合は何もせず、存在しない場合はsaveメソッドでファイルを保存しています。

■ excel_copy_tool.py

```
043      if os.path.exists(new_book_name):    ……………… 同名のファイルがすでに存在する場合
044          print(f'{new_book_name}はすでに存在します')
045      else:    ………………………………………………………… 同名のファイルが存在しない場合
046          copy_book.save(new_book_name)
047          print(f'{new_book_name}を作成しました')
```

43行目では、ファイルやフォルダーを扱うos.pathモジュールにあるexists関数で、ファイルの存在を確かめています。exists関数は引数として渡したファイル名（もしくはフォルダー名）がすでに存在すればTrueを、そうでなければFalseを返します。

カスタマイズのアイデア

完成したプログラムにはtry文がありませんが、このままではユーザーが間違った操作をしたときにエラーが発生する場合があります。

例えば、9行目でaskopenfilename関数を使ってExcelファイルの選択を求めていますが、このダイアログウィンドウでユーザーが［キャンセル］を押してしまうと19行目でload_workbook関数を実行できずにエラーが発生します。

```
IDLE Shell 3.10.2                                              —    □    ×
File  Edit  Shell  Debug  Options  Window  Help
Python 3.10.2 (tags/v3.10.2:a58ebcc, Jan 17 2022, 14:12:15) [MSC v.1929 64 bit (AMD64)] on
win32
Type "help", "copyright", "credits" or "license()" for more information.
= RESTART: C:\Users\libroworks\Desktop\PythonxExcel\excel_copy_tool\excel_copy_tool.py
コピーするExcelファイルを選択してください
コピー後、ファイル名の後ろにどんな文字を追加するか選んでください
1. 数値（例：○○_1.xlsx、○○_2.xlsx…）
2. 日付（例：○○_20220101.xlsx、○○_20220102.xlsx…）
3. 自分で入力する
1
Traceback (most recent call last):
  File "C:\Users\libroworks\Desktop\PythonxExcel\excel_copy_tool\excel_copy_tool.py", line
19, in <module>
    copy_book = openpyxl.load_workbook(copy_book_name)
  File "C:\Users\libroworks\AppData\Local\Programs\Python\Python310\lib\site-packages\open
pyxl\reader\excel.py", line 315, in load_workbook
    reader = ExcelReader(filename, read_only, keep_vba,
  File "C:\Users\libroworks\AppData\Local\Programs\Python\Python310\lib\site-packages\open
pyxl\reader\excel.py", line 124, in __init__
    self.archive = _validate_archive(fn)
  File "C:\Users\libroworks\AppData\Local\Programs\Python\Python310\lib\site-packages\open
pyxl\reader\excel.py", line 94, in _validate_archive
    raise InvalidFileException(msg)
openpyxl.utils.exceptions.InvalidFileException: openpyxl does not support  file format, pl
ease check you can open it with Excel first. Supported formats are: .xlsx,.xlsm,.xltx,.xlt
m
>>>
```

このエラーを防ぐためには、try文を追加する、askopenfilename関数の戻り値をif文で判定してTrueである場合のみ以降の処理を行うようにする、などの対処が考えられます。

複数のファイルの内容を
Excelファイルにまとめる

　大量のテキストファイルやCSVファイルにデータが散らばっていると、管理のコストも大きくなり、欲しい情報を検索するのも大変です。ここでは、複数のファイルの内容を1つのExcelファイルにまとめるツールを作成しましょう。

複数のテキストファイルをExcelファイルにまとめる

　まずは、あるフォルダーにあるすべてのテキストファイルの内容をExcelファイルにまとめるプログラムを作ります。Excelファイルにはテキストファイルの数だけシートが作られ、1シートに1テキストファイルずつ内容が転記されます。

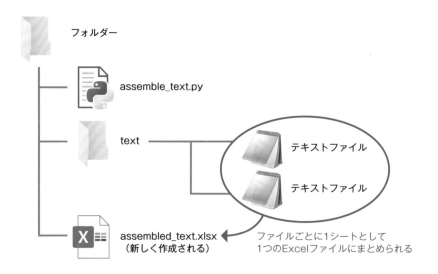

フォルダー

assemble_text.py

text

テキストファイル

テキストファイル

assembled_text.xlsx
（新しく作成される）

ファイルごとに1シートとして
1つのExcelファイルにまとめられる

　図ではテキストファイルがあるフォルダーはプログラムと同じ階層にありますが、P.146で登場したTkinterのaskdirectory関数でユーザーがフォルダーを選択できるようにしておくとより便利なプログラムになります。
　プログラムを見てみましょう。

■ assemble_text.py

```
001  import openpyxl
002  import pathlib
003  import tkinter.filedialog as fd
004
005
006  target_folder_name = fd.askdirectory(title='ファイルがあるフォルダーを'
007                                             '選択してください',
008                                             initialdir='./')
009  target_folder = pathlib.Path(target_folder_name)
010  new_book = openpyxl.Workbook()
011  for target_file in target_folder.glob('*.txt'): …… ファイルごとに繰り返し処理
012      sheet = new_book.create_sheet(title=target_file.name)
013      file_text = target_file.read_text(encoding='UTF-8')
014      text_lines = file_text.splitlines() ………… 行単位でリストにする
015      for i, text_line in enumerate(text_lines, start=1): …… 行ごとに繰り返し処理
016          sheet.cell(i, 1).value = text_line
017      print(f'{target_file.name}をExcelファイルに転記しました')
018  if len(new_book.sheetnames) >= 2: …………………… シートが2枚以上ある場合
019      del new_book['Sheet'] ……………………………… Sheetという名前のシートを削除
020  new_book.save('assembled_text.xlsx') ……………… 名前を付けて保存
021  input('Enterキーでプログラムを閉じます：')
```

　プログラムを実行すると、選択したフォルダー内にあるすべてのテキストファイル
がワークシートとしてassembled_text.xlsxという名前のExcelファイルにまとめら
れます。

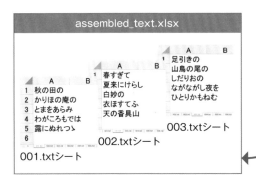
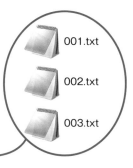

インポートしているのはopenpyxlモジュールとpathlibモジュール、そして
Tkinterのfiledialogモジュールの3つで、すべてこれまでに登場したモジュールです。

■ assemble_text.py

```
001  import openpyxl
002  import pathlib
003  import tkinter.filedialog as fd
```

6行目でaskdirectory関数でユーザーにフォルダーの選択を求めます。
askdirectory関数の戻り値は文字列型なので、9行目でpathlibモジュールのPath
クラスのデータ（P.110参照）に変換しています。

■ assemble_text.py

```
006  target_folder_name = fd.askdirectory(title='ファイルがあるフォルダーを'
007                                        '選択してください',
008                                        initialdir='./')
009  target_folder = pathlib.Path(target_folder_name)
```

このツールでは新しくExcelファイルを作成するので、10行目でopenpyxlの
Workbookクラスのインスタンスを作成しています。

■ assemble_text.py

```
010  new_book = openpyxl.Workbook()
```

11行目からのfor文は、フォルダー内のテキストファイルごとに繰り返し処理を行
います。12行目でcreate_sheetメソッド（P.91参照）でExcelファイルに新しいシー
トを作成します。キーワード引数titleにファイル名を渡しているので、シート名は
ファイル名と同じになります。

■ assemble_text.py

```
011  for target_file in target_folder.glob('*.txt'): …… ファイルごとに繰り返し処理
012      sheet = new_book.create_sheet(title=target_file.name)
```

13行目でread_textメソッド（P.113参照）でファイルの内容を文字列型で取得した後、14行目で文字列型のsplitlinesメソッドを使っています。このメソッドは文字列の内容を行ごとに区切ってリストとして返すので、変数text_linesにはファイルの内容がリストとして入ります。

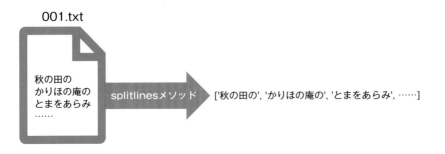

001.txt

秋の田の
かりほの庵の
とまをあらみ
……

splitlinesメソッド

['秋の田の', 'かりほの庵の', 'とまをあらみ', ……]

■ assemble_text.py

```
013    file_text = target_file.read_text(encoding='UTF-8')
014    text_lines = file_text.splitlines() …………… 行単位でリストにする
```

15行目ではリストなどの要素と、その順番を同時に取り出すenumerate関数を使っています。enumerate関数は次の図のように順番を表す数値を1つめ、引数として渡したリストの要素を2つめの戻り値として返す関数で、P.81でも見た複数同時の代入で数値を変数i、要素を変数text_lineに格納します。

ここでは、キーワード引数startに数値1を渡しているので、順番を1から数えはじめています。

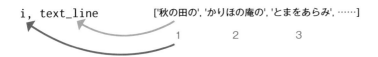

i, text_line

['秋の田の', 'かりほの庵の', 'とまをあらみ', ……]

1   2   3

■ assemble_text.py

```
015    for i, text_line in enumerate(text_lines, start=1): …… 行ごとに繰り返し処理
016        sheet.cell(i, 1).value = text_line
```

10行目で作成された新しいExcelファイルには最初に「Sheet」という名前のシートが1枚ありますが、テキストファイルを1つのExcelファイルに集約した後、この初

期シートは不要になります。

しかし、Excelファイルにシートが1枚しかない（新しいシートを作成していない）場合はそのシートを削除するとエラーが発生するので、18行目のif文はWorksheetクラスのsheetnames属性を見てシートの数が2以上であるかを判定しています。

シートが2枚以上ある場合は、データを削除するdel文で「Sheet」という名前の初期シートを削除します。

■ assemble_text.py

```
018    if len(new_book.sheetnames) >= 2: ················ シートが2枚以上ある場合
019        del new_book['Sheet'] ····························· Sheetという名前のシートを削除
```

複数のCSVファイルをExcelファイルにまとめる

CSV（Comma Separated Value）形式のファイルとは、次のようにカンマで区切られたデータが入力されたファイルのことです。

■ dummy_1.csv

```
氏名,氏名（ひらがな）,年齢,生年月日,性別,血液型
松下 昭雄,まつした あきお,80,1941年09月26日,男,B
石川 正之,いしかわ まさゆき,42,1979年09月07日,男,A
大和 拓,やまと たく,60,1962年03月20日,男,O
```

1行目は見出し行といわれる行で、2行目以降に入力されたデータの種類を表しています。改行文字で区切られたそれぞれの行をレコードといい、このCSVファイルでは1つのレコードには氏名、氏名（ひらがな）、年齢、生年月日、性別、血液型の6つのデータが含まれます。

CSVファイルを見て、行・列を持つExcelファイルの形式に近いと感じた方もいるかもしれませんが、実際にExcelではCSVファイルを読み込んだり、逆にExcelファイルをCSV形式に書き出したりすることが可能です。

dummy_1.csvをExcelで開いた様子

	A	B	C	D	E	F
1	氏名	氏名（ひらがな）	年齢	生年月日	性別	血液型
2	松下 昭雄	まつした あきお	80	1941年9月26日	男	B
3	石川 正之	いしかわ まさゆき	42	1979年9月7日	男	A
4	大和 拓	やまと たく	60	1962年3月20日	男	O

ExcelでCSVファイルを読み込む作業を手動で行うと数回のクリックが必要で、大量のCSVファイルを処理するのには時間がかかります。そこで、複数のCSVファイルを1つのExcelファイルに自動でまとめるツールを作りましょう。

プログラムが行う作業は先ほどのテキストファイルをまとめるツールと似通っていますが、行単位の繰り返し処理だけでなくカンマで区切られた列単位でも繰り返し処理を行うため、流れが少し複雑になります。

プログラムを見てみましょう。

■ assemble_csv.py

```
001  import openpyxl
002  import pathlib
003  import csv
004  import tkinter.filedialog as fd
005
006
007  target_folder_name = fd.askdirectory(title='ファイルがあるフォルダーを'
008                                             '選択してください',
009                                             initialdir='./')
010  target_folder = pathlib.Path(target_folder_name)
011  new_book = openpyxl.Workbook()
012  for target_csv in target_folder.glob('*.csv'): …… ファイルごとに繰り返し処理
013      sheet = new_book.create_sheet(title=target_csv.name)
014      csv_file = open(target_csv, encoding='UTF-8')
015      reader = csv.reader(csv_file)
016      for i, row in enumerate(reader, start=1): ………………… 行ごとに繰り返し処理
017          for j, data in enumerate(row, start=1): ………… 列ごとに繰り返し処理
018              sheet.cell(i, j).value = data
019      print(f'{target_csv.name}をExcelファイルに転記しました')
020  if len(new_book.sheetnames) >= 2:
021      del new_book['Sheet']
022  new_book.save('assembled_csv.xlsx') ……………………………… 名前を付けて保存
023  input('Enterキーでプログラムを閉じます: ')
```

3行目のインポート文で、CSVファイルを扱うための機能を提供するcsvモジュールをインポートしています。

■ assemble_csv.py

```
001  import openpyxl
002  import pathlib
003  import csv
004  import tkinter.filedialog as fd
```

テキストファイルをまとめるプログラムとの最初の大きな違いは、14行目と15行目でCSVファイルを読み込んでいる部分です。

14行目でopen関数で対象のCSVファイルを開いています。この関数は引数として受け取ったCSVファイルを開き、変数csv_fileに代入します。

15行目ではcsvモジュールのreader関数でCSVファイルの内容を取得します。

■ assemble_csv.py

```
014      csv_file = open(target_csv, encoding='UTF-8')
015      reader = csv.reader(csv_file)
```

16行目と17行目では、それぞれ行単位、列単位の繰り返し処理を行うfor文を書いています。3つの変数reader、row、dataの関係が少し複雑ですが、変数readerにはCSVファイルの内容すべてが、変数rowには1行のレコードが、変数dataにはカンマで区切られたデータが入っています。

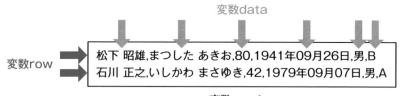

■ assemble_csv.py

```
017      for i, row in enumerate(reader, start=1):          行ごとに繰り返し処理
018          for j, data in enumerate(row, start=1):        列ごとに繰り返し処理
019              sheet.cell(i, j).value = data
```

第7章

Python×Excelで
Webスクレイピング

Python×Excel

Section 01 Webスクレイピングで情報収集を自動化する

　ニュースサイトから情報を集めたり、路線情報サイトで乗り換えの方法を調べたりなど、普段の業務の中でWebブラウザーを使って情報収集をする機会は多いでしょう。これを自動化できれば、自分やチームの作業負担を大きく減らせるはずです。

　ここでは、Webスクレイピングという技術を使って、Webページからデータを取得するツールを開発してみましょう。

Webスクレイピングとは

　Webスクレイピングとは、プログラムを用いてWebサイトからデータ（テキスト、画像など）を抽出する技術のことです。単に「スクレイピング」ということもあります。人間が手動でデータを収集するのに比べ、大量のデータを短時間で一度に収集できることが大きな強みです。プログラムが作業を行うので、何度も実行できるというのもメリットでしょう。

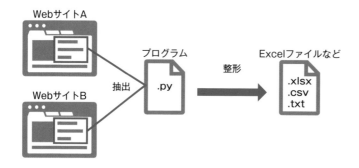

　スマートフォンやSNSの発達により、さまざまなデータがインターネット上に存在するようになりました。Webスクレイピングを使えば欲しい情報を高速に集められるだけでなく、Webブラウザーでは簡単に到達できない情報にもアクセスできるので、高度な使い方をマスターすれば、例えば以下のような業務を自動化することも可能です。

- ショッピングサイトから売れ筋の商品情報を収集して、市場調査をする
- 競合他社の製品情報やニュースを収集して、企業運営に役立てる
- ニュースサイトからトップニュースを収集して、最新の時事問題を把握する
- SNS上での自社製品の評価を収集して、製品開発につなげる

Webスクレイピングを行うには、PythonによるプログラミングだけでなくHTMLやCSSなどWebページの仕組みに関する知識も必要になるので、この章ではそれらの基本についても学んでいきます。

Webスクレイピングの注意事項

さまざまな場面で活用できるWebスクレイピングですが、どんなWebサイトでも自由に行っていいわけではありません。以下の点を必ず守るようにしましょう。

❶収集したデータの取り扱いには注意する

Webサイトに掲載されているデータは、著作権法によって保護されていることがあります。そのような場合、得られたデータを無断で複製したり再配布したりすると法律に抵触する恐れもありますので、Webスクレイピングで収集したデータの取り扱いには十分に注意してください。

❷相手サーバーに負荷をかけないプログラムにする

Webスクレイピングは Web サイトから高速にデータを収集できますが、同じサイトに短時間に何度もアクセスすると Web サーバーに負荷をかける恐れがあります。Webサーバーへの負荷が高まると、Webサイトの表示が遅くなったり固まったりして、他の利用者の迷惑となってしまうので、抽出するデータ量やアクセスする頻度は必要最低限にしましょう。

❸Webスクレイピングを禁止しているサイトもある

Webサイトによっては、規約で明示的に Web スクレイピングを禁止している場合があります。そういった Web サイトに対しては、Web スクレイピングを行わないようにしてください。また Web スクレイピングを行う際は、サイトの規約を事前に確認するようにしましょう。

Webページからテキストを取得する

ここからは、実際にWebスクレイピングを行うための準備をします。まずは、Webスクレイピングを実行するのに必要なPythonのライブラリをインストールします。続いて事前に知っておくべき知識としてHTML、CSSの基本についても学んでいきましょう。

RequestsとBeautifulSoup4をインストール

PythonでWebスクレイピングを行うに当たっては、RequestsとBeautifulSoupというサードパーティ製パッケージをインストールします。

Webページをブラウザーで開くとき、HTTP通信という規約にのっとって、サーバーと私たちが利用するWebブラウザーとのあいだでデータがやり取りされます。このHTTP通信をPythonから行ってWebページのデータを取得するのがRequestsです。

ここで、WebページのデータはHTMLという形式のファイルとしてやり取りされます。BeautifulSoupは、Requestsを使って取得したHTMLファイルから必要なテキストや画像を抽出するためのライブラリです。

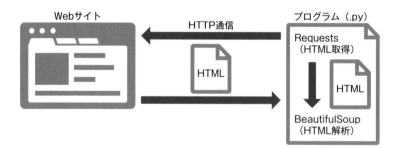

では、次のコマンドを実行して、2つのライブラリをインストールしましょう。P.64で説明した通り、サードパーティ製パッケージをインストールするにはpipコマンドを使います。BeautifulSoupについては2022年5月時点で最新バージョンであるBeautifulSoup4をインストールします。「beautifulsoup4」ではなく「beautifulsoup」

としてしまうと、エラーが発生するか別のパッケージがインストールされるので注意してください。

■ Requestsインストールのためのコマンド
```
pip install requests
```

■ BeautifulSoup4インストールのためのコマンド
```
pip install beautifulsoup4
```

WebページはHTMLとCSSでできている

Webスクレイピングを行うためには、Webページを構成しているHTMLとCSSの知識が必要です。

HTMLは「HyperText Markup Language」の略で、Webページの構造を指定するための言語です。私たちが閲覧するWebページは、HTML形式で記述されています。

Webページは、テキストや入力フォーム、画像、リンク、送信ボタンなどの要素から構成されています。これらはHTMLにおいてHTMLタグという＜＞で囲われたタグを使って記述します。よく使われる要素は次の通りです。

HTMLの代表的な要素

タグ	説明
\<h1>	見出しを作成する。見出しの大きさに応じてh1、h2、h3……と続く
\<img>	画像を挿入する
\<div>	複数のタグをまとめてグループを作る
\<p>	1段落のテキストを作る
\<button>	ボタンを作る
\ 	改行する
\<a>	リンクを埋め込む

タグには開始タグと終了タグがあり、開始タグと終了タグで内容を挟むことでWebページ内の要素を記述します。終了タグは、要素名の前に／を付けます。

```
<h1>タイトル</h1>
```

WebページはHTML形式で記述されているので、Webスクレイピングで抽出したいデータはすべてHTMLファイルに記述された要素です。そのため、Webスクレイ

ピングを行うには抽出したいデータがどんな要素なのかを把握する必要があります。
ここで、簡単なHTMLファイルの例を見てみましょう。

■ sample.html

```
001  <!DOCTYPE html>
002  <html>
003  <head>
004      <meta charset="UTF-8">
005      <title>sample</title>
006  </head>
007  <body>
008      <h1 class="spacing_text">HTMLの例</h1>
009      <p>HTMLでWebページの要素を記述し、CSSで装飾します</p>
010      <p class="spacing_text">要素はclass属性と</p>
011      <p id="underline_text">id属性で指定できます</p>
012  </body>
013  </html>
```

このHTMLコードではh1要素やp要素が使われていますが、開始タグの中に
「class=」や「id=」と書かれているものがあることに注目してください。この部分の
ことを要素の属性といいます。

属性は、要素に関する補足情報のことで、属性名と属性値に分けられます。この例
ではclassやidが属性名、spacing_textやunderline_textが属性値です。

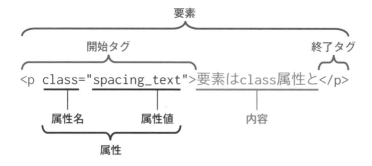

属性にはいくつかの種類がありますが、頻繁に使われるのがclass属性とid属性で
す。それぞれ次のルールに従って使い分けます。

class属性とid属性

属性	説明
class属性	任意の名前を付けて要素を分類する。1つのHTMLファイルに同じclass属性を持つ要素があってもよい
id属性	任意のidを付けて要素を分類する。1つのHTMLファイルに同じid属性を持つ要素があってはいけない

　sample.htmlでは「spacing_text」というclass属性を持つ要素が2つあります。それに対して、id属性が重複する要素があってはいけないので、「underline_text」というid属性を持つ要素は1つだけです。

　このHTMLファイルをWebブラウザーにドラッグ＆ドロップして開くと、次のようなページが表示されます。

HTMLの例

HTMLでWebページの要素を記述し、CSSで装飾します

要素はclass属性と

id属性で指定できます

　表示されたページはHTMLの要素をただ表示しているだけですが、私たちが普段見るようなサイトは要素に対してさまざまな装飾が行われています。HTMLファイルに書かれた要素を装飾するためにあるのが、CSSファイルです。

　CSSは「Cascading Style Sheets」の略で、Webページ内の要素のスタイルを指定します。HTMLはあくまでWebページの構造とその中にある要素を指定しているにすぎないので、Webページの見た目の調整まではできません。そこで、どんなスタイルで要素を装飾するかを指定して、Webページの見た目を整えるのがCSSファイルの役割です。

　では、先ほどのWebページをCSSで装飾してみます。sample.htmlのhead要素の中に<link rel="stylesheet" href="style.css">という行を追加したら、次のCSSファイルを用意してHTMLファイルをWebブラウザーで開き直してください。文字の背景に色が入ったり、文字色が変わったりして、見た目が変更されたことを確認できるはずです。

■ sample.html

```
       ……省略……
003    <head>
004        <meta charset="UTF-8">
005        <link rel="stylesheet" href="style.css">
006        <title>sample</title>
007    </head>
       ……省略……
```

■ style.css

```
001    @charset "utf-8";
002    h1{background-color: #7fffd4;}
003    p{color: #6c3524;}
004    .spacing_text{letter-spacing: 10px;}
005    #underline_text{text-decoration: underline;}
```

HTMLの例

HTMLでWebページの要素を記述し、CSSで装飾します

要 素 は c l a s s 属 性 と

id属性で指定できます

CSSセレクター

先ほどCSSファイルのコードを見ましたが、CSSはセレクター、プロパティ、値の3つから構成されています。CSSでは、どの要素を、どんなスタイルで装飾するかを指定してWebページの見た目を整えますが、このうち「どの要素を」の部分を指定するのがセレクター、「どんなスタイルで」の部分を指定するのがプロパティ、値です。

```
<p>タグの    文字色を    #6c3524にする
    p { color :  #6c3524 ; }
    ┬     ┬           ┬
セレクター  プロパティ      値
```

このうち、セレクターの書き方について少し詳しく見てみましょう。セレクターには次の3種類があります。

- 要素セレクター

要素名を書いて、ある要素をすべて指定します。

■ style.css

```
002  h1{background-color: #7fffd4;}
003  p{color: #6c3524;}
```

- classセレクター

ドット（.）を前に付けてclass属性を書くと、そのclass属性を持つ要素を指定できます。

■ style.css

```
004  .spacing_text{letter-spacing: 10px;}
```

- idセレクター

半角シャープ（#）を前に付けて、id属性を書きます。そのid属性を持つ要素だけを指定できます。

■ style.css

```
005  #underline_text{text-decoration: underline;}
```

また、要素セレクターの後ろに連続してclassセレクターを書くことで、要素の種類とclass属性（もしくはid属性）を同時に指定できます。例えば、次のように書くとclass属性の値がspacing_textであるp要素だけを指定できます。

```
p.spacing_text{……}
```

Chromeの開発者ツールを使ってCSSセレクターを取得する

CSSでは装飾する要素を指定するためにセレクターを使うことを学びました。セレクターの考え方は、Webスクレイピングで抜き出したい要素を指定するのに利用できます。ここからは、実際にWebスクレイピングを行う場合、どのように要素を指定すればよいか確認していきましょう。

　HTMLでは要素が入れ子構造になっており、入れ子となっている要素同士を親子（関係）と呼びます。親子関係においては外側の要素を「親」、その中に作られた要素を「子」と呼びます。実際のWebサイトは親である外側のタグを作り、その中に子であるタグを作り、さらにその中にタグを作り……というようにたくさんの要素を入れ子にして作られています。先ほどHTMLの説明に使ったsample.htmlと、その構造を図にしたものを見てみましょう。

sample.html

```
001  <!DOCTYPE html>
002  <html>
003  <head>
004      <meta charset="UTF-8">
005      <link rel="stylesheet" href="style.css">
006      <title>sample</title>
007  </head>
008  <body>
009      <h1 class="spacing_text">HTMLの例</h1>
010      <p>HTMLでWebページの要素を記述し、CSSで装飾します</p>
011      <p class="spacing_text">要素はclass属性と</p>
012      <p id="underline_text">id属性で指定できます</p>
013  </body>
014  </html>
```

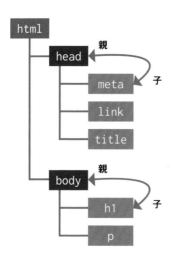

このように要素が階層構造になっているため、例えばある1つのp要素を抜き出したい場合は「どの要素の中にあるp要素か」ということまで指定する必要があります。もし同じ親の下にp要素が複数ある場合は「何番目のp要素か」や「どのclass属性を持つp要素か」などまで指定します。従って、このHTMLのサンプル以上に複雑な構造をしている実際のWebページでは、CSSセレクターもより複雑になります。

しかし、私たちがブラウザーでWebページを見ているとき、いま読んでいるのはどんな要素の下にあるp要素か、などの情報が常に表示されているわけではありません。そこで、Google Chromeの開発者ツール（デベロッパーツール）を使う方法を紹介しましょう。この方法を使えば、Webページ上にある画像やテキストがどんな要素の下にあるかが見られるだけでなく、どんなCSSセレクターを使えばその要素を指定できるかもわかります。

まずはChromeでWebスクレイピングを行いたいWebページにアクセスします。Webページが開いたら、画面右上の［⋮］→［その他のツール］→［デベロッパーツール］をクリックするか、Ctrl + Shift + I キーを押しましょう。

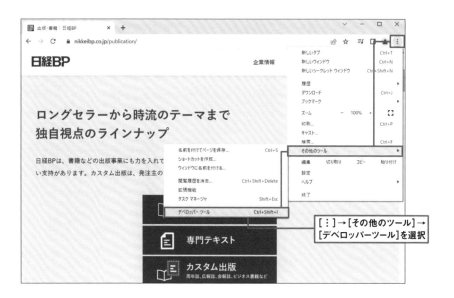

［⋮］→［その他のツール］→
［デベロッパーツール］を選択

するとデベロッパーツールが画面下に表示されます。デベロッパーツールはいくつかのタブで構成されていますが、今回使うのが［Elements］タブです。［Elements］タブは左と右にウィンドウが分割されていて、左のウィンドウには開いている画面のHTMLコードが表示され、右のウィンドウにはそのHTMLをどんなスタイルで装飾しているかが表示されます。

デベロッパーツールが開いたら、□をクリックして要素選択モードにします。続いて抽出したい要素にマウスポインターを合わせてクリックしましょう。

すると［Elements］タブ内で、選択した要素のHTMLコードが強調されて表示されます。そのコード上で右クリックして［Copy］→［Copy selector］を選択してください。

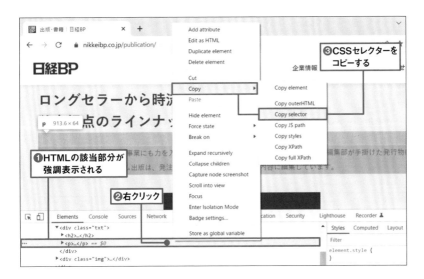

　すると、次のようなテキストがコピーされます。これが選択した要素を指定するためのCSSセレクターです。

```
#lead > div > div.txt > p
```

　先ほど紹介したように、「#」を使ってidを、「.」を使ってclassを表しています。また、CSSセレクターの間にある「>」は「子要素」を示すCSSセレクターです。つまり先頭の「lead」というid属性の要素を起点とし、その要素の子要素であるdiv要素、さらにそのdiv要素の子要素である「txt」というclass属性のdiv要素、その子要素のp要素という構成になっています。

#lead	>	div	>	div.txt	>	p
「lead」という名前のidが割り当てられている要素の中の		\<div\>要素の中の		「txt」という名前のclassが割り当てられている\<div\>要素の中の		\<p\>要素

Section 03　知りたい言葉をまとめて Wikipediaで検索する

　それでは、ここまで学んできた内容を基にWebスクレイピングを行うコードを作っていきましょう。今回作るのは、Excelにまとめた語句をWikipediaで自動で検索し、最初の2段落の内容を取得するプログラムです。

実行前（search_words.xlsx）

検索したい語句	検索結果
デジタル庁	
TCP/IP	
ファイアウォール	
PaaS	
IaaS	
SaaS	

実行後（search_results.xlsx）

検索したい語句	検索結果
デジタル庁	デジタル庁（デジタルちょう、英: Digital Agency[15]）は、日本の行政機関のひとつ。2021年（令和3年）9月1日に設置された[16][17]。デジタル社会の形成に関する内閣の事務を内閣官房と共に助け、その行政事務の迅速かつ重点的な遂行を図ることを目的として内閣に設置される[18]。復興庁と同様に[注釈 3]国家行政組織法の適用が除外されており[注釈4]、必要な事項はデジタル庁設置法に規定されている。
TCP/IP	インターネット・プロトコル・スイート（英: Internet protocol suite）は、インターネットを含む多くのコンピュータネットワークにおいて、標準的

　なお、Wikipediaの利用規約ではWebスクレイピングによる記事の取得は禁止されています。今回のプログラムのように個人で小規模に実行するのにとどめて、大規模なスクレイピングは行わないよう注意してください。

　このプログラムは、同じフォルダーにWikipediaで検索したい語句をまとめたExcelファイルがあることを前提にしています。プログラムを実行すると、検索結果をまとめた別のExcelファイルが作成される、という仕組みです。

フォルダー

croll_wiki.py

search_words.xlsx

search_results.xlsx
（実行後に生成される）

では、プログラムを見てみましょう。

■ croll_wiki.py

```python
001  from bs4 import BeautifulSoup
002  import openpyxl
003  import requests
004
005
006  READ_START_ROW_NO = 3 ………… データ読み込みを開始する行
007  SEARCH_WORD_COL_NO = 2 ……… 検索する語句の列
008  DESCRIPTION_COL_NO = 3 ……… 検索結果の列
009
010  try:
011      book = openpyxl.load_workbook('search_words.xlsx')
012      sheet = book.active
013      search_words = []
014      for row_no in range(READ_START_ROW_NO, sheet.max_row+1):
015          search_word = sheet.cell(row_no, SEARCH_WORD_COL_NO).value
016          if search_word is None: ……… 検索する語句が空白である場合
017              break ……………………………… そこで繰り返し処理を終了
018          search_words.append(search_word)
019      for i in range(len(search_words)): …………… 検索する語句の数だけ繰り返し
020          print(search_words[i])
021          url = f'https://ja.wikipedia.org/wiki/{search_words[i]}'
022          page_data = requests.get(url) ……………… Webページのデータを取得
023          page = BeautifulSoup(page_data.content, 'html.parser')
024          div_content = page.select_one('div#mw-content-text')
025          div_output = div_content.select_one('div.mw-parser-output')
026          p_elements = div_output.select('p', limit=2)
027          first_two_contents = [] ……… 最初の2段落を格納するリスト
028          for el in p_elements:
029              first_two_contents.append(el.text)
030          result = ''.join(first_two_contents).strip() ….. リストの要素を結合
031          sheet.cell(READ_START_ROW_NO+i, DESCRIPTION_COL_NO).value = result
032      new_file_name = 'search_results.xlsx'
033      book.save(new_file_name)
034  except FileNotFoundError:
035      print('''【エラー発生】
036  Excelファイルsearch_words.xlsxが見つかりませんでした。
037  このプログラムと同じ場所にExcelファイルsearch_words.xlsxを置いてください''')
```

```
038   finally:
039       input('Enter キーでプログラムを閉じます: ')
```

Excelファイルの下準備

　プログラムと同じフォルダーに、検索したい語句をまとめておくsearch_words. xlsxというExcelファイルを置いておきます。このプログラムでは最大100個の語句を検索することを想定しているため、102行目まで罫線を引いています。

　見出し行を除いたB3:C102のセル範囲には文字列の「上揃え」、C3:C102のセル範囲には「折り返して全体を表示」の書式を設定しています。こうすることでWikipediaから長文の検索結果を取得しても、きれいにセル内に収めることが可能です。

　ユーザーがB列に検索したい語句を入力してプログラムを実行すると、プログラムが知りたい情報をWikipediaで調べ、ページ内の最初の2段落を取得してC列に書き込みます。

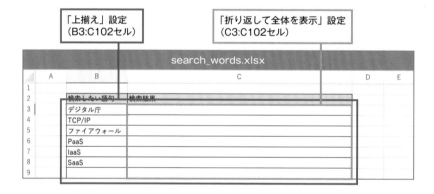

Webスクレイピングの下準備

　では、実際にプログラムの中身を見ていきましょう。

　このプログラムでは、先ほどインストールしたbs4（BeautifulSoup）とrequests、P.65でインストールしたopenpyxlという3つのモジュールを使います。

■ croll_wiki.py

```
001   from bs4 import BeautifulSoup
002   import openpyxl
003   import requests
```

6行目から8行目では定数を3つ作成しています。データの読み込みを開始する行、検索する語句が書かれた列、検索結果を入力する列をそれぞれ指定します。

■ croll_wiki.py

```
006    READ_START_ROW_NO = 3 ………… データ読み込みを開始する行
007    SEARCH_WORD_COL_NO = 2 ……… 検索する語句の列
008    DESCRIPTION_COL_NO = 3 ……… 検索結果の列
```

14行目から18行目のfor文では、range関数（P.56参照）を使って、search_words.xlsxの「検索したい語句」列に記入した語句を取得し、search_wordsリストに格納していきます。

16行目、17行目では「検索したい語句」列に空白がないかを判定し、あった場合はbreak文（P.100参照）で繰り返し処理を停止させています。仮に列の途中で空白がある場合は、その時点で繰り返し処理が終了するため、読み取れた語句の分しかWebスクレイピングを行いません。

■ croll_wiki.py

```
014        for row_no in range(READ_START_ROW_NO, sheet.max_row+1):
015            search_word = sheet.cell(row_no, SEARCH_WORD_COL_NO).value
016            if search_word is None: ………… 検索する語句が空白である場合
017                break ………………………………… そこで繰り返し処理を終了
018            search_words.append(search_word)
```

ここまででWikipediaで検索したい語句のデータを取得できました。いよいよ19行目からのfor文では、語句ごとに繰り返し処理を行ってWebスクレイピングを行っていきます。

Webスクレイピングを実行する

21行目では語句ごとにWikipediaのURLを生成し、変数urlに代入しています。実際に検索してみてもらえばわかりますが、WikipediaのWebページは「https://ja.wikipedia.org/wiki/語句名」というURLになっています。例えば「デジタル庁」という語句を調べたい場合、アクセスするべきURLは「https://ja.wikipedia.org/wiki/デジタル庁」となります。

■ croll_wiki.py

```
021        url = f'https://ja.wikipedia.org/wiki/{search_word}'
```

22行目、23行目ではRequestsとBeautifulSoupを使ってWebページにアクセスし、データを取得しています。まず22行目でRequestsライブラリのget関数を使い、先ほど生成したURLに通信してWebページのデータ（HTML）を取得します。取得したデータは変数page_dataに代入します。

■ croll_wiki.py

```
022        page_data = requests.get(url) ………… Webページのデータを取得
023        page = BeautifulSoup(page_data.content, 'html.parser')
```

23行目ではBeautifulSoup()でBeautifulSoupクラスのデータを作成しています。BeautifulSoup()の引数に必要なのが、HTMLを入れたテキストと、HTMLの解析を行うパーサーと呼ばれるツールです。

パーサーには「html.parser」、「lxml」、「xml」などの種類がありますが、ここではPython標準で使える「html.parser」を使います。

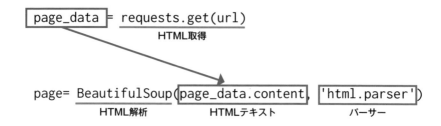

以上でHTMLを解析する準備が整いましたが、ここからHTML内のどの要素を取得するかを指定しなければいけません。24行目から26行目でCSSセレクターを利用して目的の要素を指定します。CSSセレクターを取得するために使うのがChromeに搭載されているWebページ開発者用のツール、デベロッパーツールです。

CSSセレクターを取得する

まずはWikipediaで任意の語句を検索しましょう。検索結果のページが開いたら、画面右上の［⋮］→［その他のツール］→［デベロッパーツール］を選択するか、[Ctrl]＋[Shift]＋[I]キーを押してデベロッパーツールを開いてください。

続いて[⇱]をクリックして要素選択モードに切り替えたら、第1段落付近をクリックしてください。［Elements］タブでクリックした要素のHTMLコードが強調表示されるので、コード上で右クリックして［Copy］→［Copy selector］を選択してCSSセレクターをコピーしましょう。

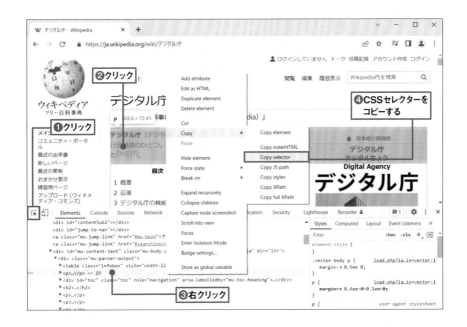

次のようなCSSセレクターがコピーできました。今回は、このCSSセレクターを使ってWikipediaから最初の2段落のテキストを取得します。

```
#mw-content-text > div.mw-parser-output > p:nth-child(2)
```

取得したCSSセレクターをselectメソッドで指定する

　CSSセレクターを使って要素を取得するにはselect_oneメソッド、またはselectメソッドを使います。どちらもBeautifulSoupクラスのメソッドで、指定したCSSセレクターに一致する1つまたは複数の要素を取得します。

select_oneメソッドとselectメソッド

メソッド	説明	使用例（pageはBeautifulSoupクラスのデータとする）
select_one	セレクターで指定した要素を1つ取り出す	変数 = page.select_one(CSSセレクター)
select	セレクターで指定した要素をすべて取り出す	変数 = page.select(CSSセレクター)

　CSSセレクターを1行で指定することもできますが、今回は読みやすさの観点から3行に分けて記述します。
　まず24行目ではid属性が「#mw-content-text」である要素を1つ取得します。select_oneメソッドの戻り値は変数div_contentに格納します。

■ croll_wiki.py

```
024      div_content = page.select_one('#mw-content-text')
```

　25行目では、24行目の結果が入った変数div_contentの中からさらに、class属性が「mw-parser-output」であるdiv要素を取得します。

■ croll_wiki.py

```
025      div_output = div_content.select_one('div.mw-parser-output')
```

　最後に「p:nth-child (2)」を指定するのですが、ここはひと工夫が必要です。
　「p:nth-child (2)」という見慣れないCSSセレクターは「親要素の中にある2つ目の子要素であるp要素」を意味します。例えば次のコードがあったとき、「p:nth-child (2)」と指定することで「p要素1」を指定することができます。

■ nth-child使用例

```
<div>  ←親要素
    <h1>h1 要素</h1> ←子要素1番目
```

```
    <p>p要素1</p> ←子要素2番目
    <p>p要素2</p> ←子要素3番目
</div>
```

　しかし、現時点でselect_oneメソッド、selectメソッドは「nth-child」に対応して
いないため、この部分を削除する必要があります。
　今回作りたいのはWikipediaから最初の2段落の内容を取得するプログラムです。
つまり、「mw-parser-output」というclass属性のdiv要素の中にある、最初の2つのp
要素を取得する必要があるということです。

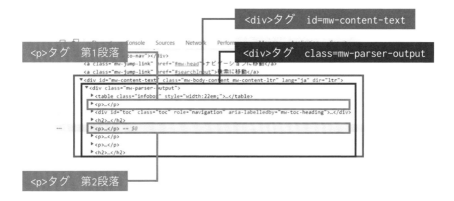

　そこで、次のようにselectメソッドの引数で要素セレクターと数を指定します。
selectメソッドではキーワード引数limitを指定することで、取得する要素の最大数
を指定できます。今回はp要素を2つ取得したいため、「'p', limit=2」と記述しました。
また、今回は要素を複数取得したいので、select_oneメソッドではなくselectメソッ
ドを使用しています。

■ croll_wiki.py

```
026        p_elements = div_output.select('p', limit=2)
```

　これで、第1段落と第2段落のデータを取得することができました。

結果をExcelファイルに書き込む

28行目、29行目のfor文では、取得した2段落のテキストをリストに格納しています。さらに30行目では文字列のjoinメソッドを使って、リスト内の要素を連結して、変数resultに格納しています。その際、ページのテキストをそのまま使うと空白文字が入ってしまうので、文字列のstripメソッドで空白を削除しています。そうして連結した文字列を、31行目でExcelファイルの「検索結果」列に書き込みます。

■ croll_wiki.py

```
028        for el in p_elements:
029            first_two_contents.append(el.text)
030        result = ''.join(first_two_contents).strip() ……リストの要素を結合
031        sheet.cell(READ_START_ROW_NO+i, DESCRIPTION_COL_NO).value = result
```

最後に32行目と33行目で、検索結果が記入された新しいExcelファイルsearch_results.xlsxを作成して終了です。

■ croll_wiki.py

```
032        new_file_name = 'search_results.xlsx'
033        book.save(new_file_name)
```

エラー処理

これでWebスクレイピングを行うコードが書けましたが、プログラムを実行すれば毎回正常に終了するというわけでもありません。ありがちなエラーが、検索したい語句を読み込むExcelファイルがプログラムと同じフォルダーにない、というものです。そこでsearch_words.xlsxがプログラムと同じ階層になかった場合のエラー処理を記載しています。

34行目ではexcept節（P.129参照）を使ってエラー発生時の対応を記述しています。今回はファイルがない場合に発生するエラーなので、FileNotFoundErrorというエラーが対象です。

■ croll_wiki.py

```
034  except FileNotFoundError:
035      print('''【エラー発生】
036  Excelファイルsearch_words.xlsxが見つかりませんでした。
037  このプログラムと同じ場所にExcelファイルsearch_words.xlsxを置いてください''')
038  finally:
039      input('Enterキーでプログラムを閉じます: ')
```

検索結果がなかった場合のエラー処理を追加する

　ここまででプログラムの解説が完了しましたが、エラー処理をさらに追加して、よりユーザーが使いやすいプログラムにしてみましょう。

　次に起こりがちなエラーとして、語句の検索結果がなかった場合が考えられそうです。そこで、23行目と24行目のあいだに以下のコードを追加します。

```
noarticle_text = page.select('.noarticletext')
if noarticle_text != []: ……… 検索結果が存在しなかった場合
    continue …………………………… 次の語句を検索する
```

　Wikipediaにおいて検索結果が存在しなかった場合、URLにアクセスできないのではなく、「ウィキペディアには現在この名前の項目はありません」や「ウィキペディアでは現在この名前の項目は作成できません」と書かれた画面が表示されます。

　そこで23行目でWebページのHTMLのデータを取得した後で、これらの文言が画面に表示されているかを判断します。

　デベロッパーツールを開いてHTMLを確認すると、「ウィキペディアには現在この名前の項目はありません」もしくは「ウィキペディアでは現在この名前の項目は作成できません」というテキストは、class属性に「noarticletext」が含まれるdiv要素の中に作られていることがわかります。

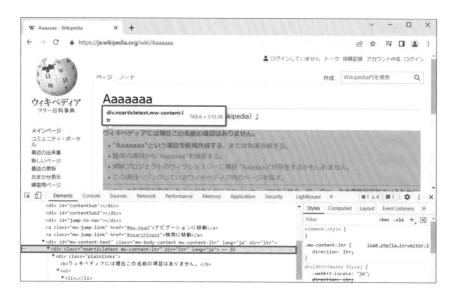

そこでselectメソッドを使ってclass属性に「noarticletext」が含まれるdiv要素を取得します。結果は変数noarticle_textにリスト形式で格納されます。つまり変数noarticle_textが空のリストではない場合に、検索結果が取得できなかったことになります。

リストが空ではなかった場合はcontinue文を実行します。continue文はbreak文（P.101参照）と同じように繰り返し内の処理を読みとばすために使われますが、繰り返しから脱出するのではなくその時点ですぐに次の繰り返しを開始します。これにより途中で検索結果がない語句があったとしても、すべての語句を検索できます。

繰り返し文

第**8**章

▼

Python×Excelで
メール自動送信

▲

Python×Excel

Section 01 メール送信を自動化する

メールは、どんな業種や職種であってもほとんどの人が利用する連絡手段です。大変便利なツールですが、人間が文面を作って送信ボタンを押す以上、ミスは起こり得るものです。

例えば文面のコピペミスや宛先の間違いなど、特にお客様や取引先を相手にした際のミスは大きな問題になることもあります。そこで、メール送信を自動化して、より正確かつスピーディーにメールを送信できるようにしましょう。

メール送信を自動化するメリット

メール送信を自動化できれば、次の2つのメリットが得られます。

・ 宛先、文面、添付漏れなどのミスが減らせる
・ 即座に送信できる

相手によって柔軟に対応を変えないといけないメールは人間が担当し、キャンペーンメールや請求書送付などの決まった文面を送る作業はコンピューターに任せるという分業を行うことで、担当者の手間を削減できます。ここでは、PythonとExcelを使ってメール送信を自動化するツールを作ってみましょう。

人間によるメール送信

・宛先、文面などでミスをする可能性がある
・送信作業のたびに担当者の時間を使う

➡相手によって柔軟に対応を
変えないといけない場合を担当

コンピューターによるメール送信

・ミスやエラーが限りなく少ない
・決まった時刻に即座にメールを
送ることができる

➡決まった時刻に送る
メールや定型メールを担当

Googleアカウントを取得して、セキュリティ設定を編集

　まずは、PythonとExcelを使ってメール送信を自動化するための準備を行います。Pythonプログラムからメールを送信する場合、メールサービスによって認証方法が異なりますが、ここではGoogleが提供するGmailを使う方法を紹介します。

Googleアカウントを取得する

　Gmailを使うためにはGoogleアカウントが必要です。Googleアカウントを持っていない、という方はここで紹介する方法でアカウントを取得してください。すでにアカウントを持っている方はこの部分を読みとばして次に進んでください。

　まずはWebブラウザーでGmailのサイトにアクセスして、右上の［アカウントを作成］のボタンからアカウント作成画面を開きます。画面が開いたら氏名、使いたいユーザー名（@gmail.comの前の部分）、パスワードを入力し［次へ］をクリックしましょう。

❶Gmail画面を開き、［アカウントを作成］をクリック

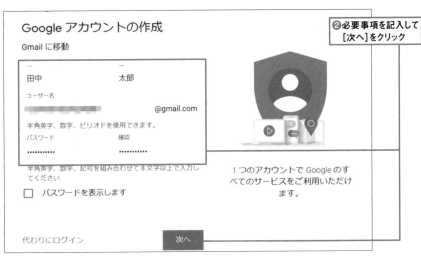

❷必要事項を記入して［次へ］をクリック

「Googleへようこそ」という画面が表示されるので、生年月日と性別を入力して［次へ］をクリックしてください。

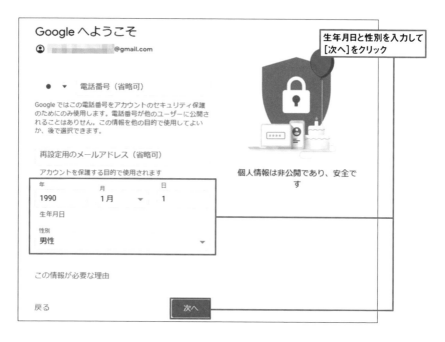

次に「プライバシーポリシーと利用規約」画面が表示されるので、問題なければ［同意する］をクリックしましょう。

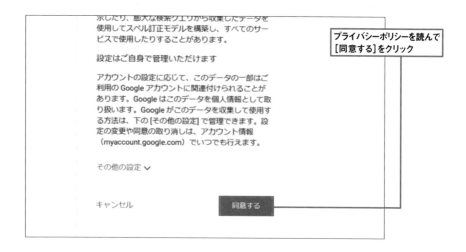

これでGoogleアカウントが作成できました。自動的にGmail画面が開くので、Gmailが使えるようになっていることを確認してください。場合によってはスマート機能を有効にするか、Googleサービスをパーソナライズするかどうか聞かれるので、特に問題がなければどちらも有効にしておきましょう。

アプリパスワードを発行する

　Googleアカウントを作成してGmailが使えるようになったので、次は設定変更を行います。初期のセキュリティ設定のままでは、PythonプログラムからGmailアカウントにログインすることはできません。そこで、プログラムからログインするためのアプリパスワードというものを発行します。

　アプリパスワードを発行するためにはまず、アカウントのセキュリティを強化する2段階認証の設定を有効にする必要があります。初めにGmail画面の右上に表示されている自分のアカウント画像（アイコン）をクリックしてから、[Googleアカウントを管理]をクリックしましょう。

　「Googleアカウント」画面が開くので、[セキュリティ]タブをクリックしてください。画面を下にスクロールしていくと中段あたりに「Googleへのログイン」という項目があるので、その中の[2段階認証プロセス]をクリックしましょう。

[セキュリティ]タブ内の[2段階認証プロセス]をクリック

2段階認証プロセスについての説明画面が表示されるので、[使ってみる]をクリックしましょう。

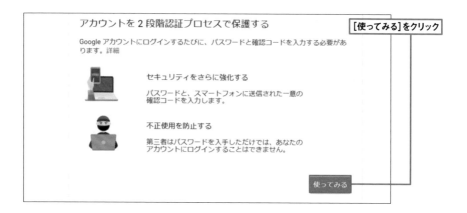

[使ってみる]をクリック

本人確認が求められるので、パスワードを入力して[次へ]をクリックします。

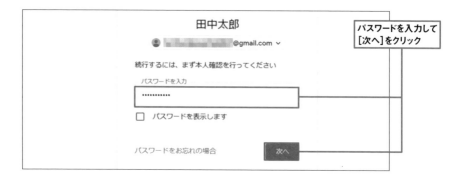

パスワードを入力して[次へ]をクリック

すると電話番号を登録する画面が表示されるので、入力して［次へ］をクリックしてください。その際、確認用コードを受け取る方法をテキストメッセージまたは音声通話から選択可能です。ここではテキストメッセージを選択しました。

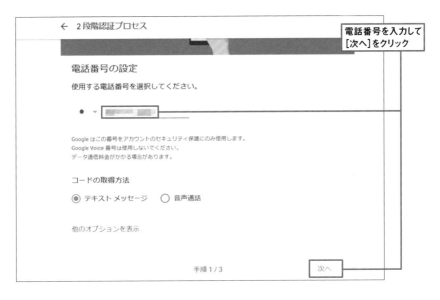

8章
Python×Excelでメール自動送信

　入力した電話番号宛てに確認コードが届くので、それを入力してください。入力したら［次へ］をクリックしましょう。

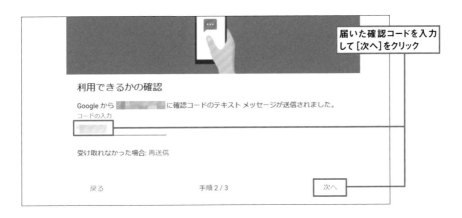

　確認が完了すると、最後に2段階認証を有効にするか聞かれます。[有効にする]を
クリックすれば、2段階認証の設定は完了です。

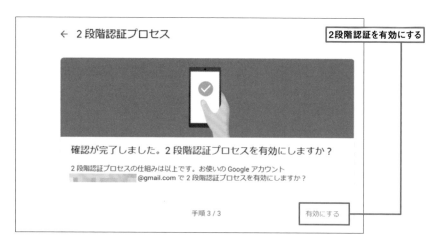

　もう一度「Googleへのログイン」項目を見ると、[2段階認証プロセス]がオンに
なっています。さらに、[2段階認証プロセス]の下に[アプリパスワード]という項
目が表示されていることを確認してください。今度はこちらをクリックしましょう。

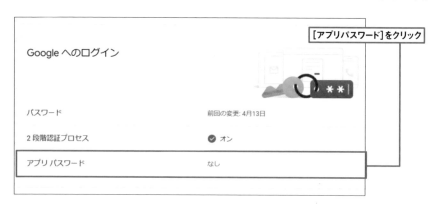

　再びパスワードを入力するよう求められるので入力して[次へ]をクリックすると、
「アプリパスワード」画面が表示されます。アプリパスワードを生成するアプリと使
うデバイスを選択して、[生成]をクリックしましょう。
　今回は「アプリを選択」欄で[メール]を選択し、「デバイスを選択」欄では
[Windowsパソコン]を選択します。

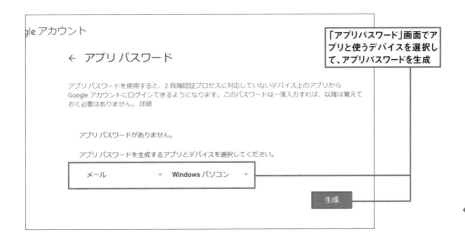

「アプリパスワード」画面でアプリと使うデバイスを選択して、アプリパスワードを生成

　アプリパスワードが生成されて次の画面が表示されます。この画面は一度閉じてしまうと再び表示させることができないので、表示された16桁のパスワードはコピーするなどして必ず控えるようにしてください。なお、間違えて画面を閉じてしまった場合は、ゴミ箱のマークをクリックしてこのパスワードを削除してから、再度アプリパスワードを発行しましょう。

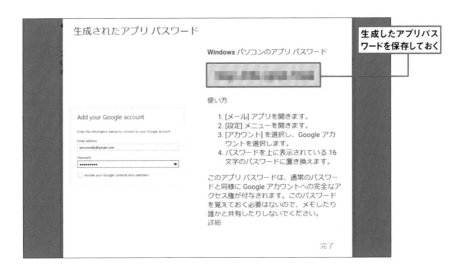

生成したアプリパスワードを保存しておく

　ここでコピーしたアプリパスワードはこれから作るプログラムで使用するので、メモ帳などに保存しておいてください。

送信先リストに対して
メールを一括送信

　では、Gmailからのメール送信を自動化するプログラムを見ていきましょう。このプログラムでは、PythonとExcelで次のように役割分担することで自動化を行います。

- Excelファイル：送信元のGmailアドレスとアプリパスワード、宛先のメールアドレス、件名、本文を管理
- Python：Excelファイルの情報を読み込んでGmailからメールを送信

Excelファイルの準備

　まずは必要な情報を保存しておくためのExcelファイルを準備します。ダウンロードしたサンプルファイル（P.2参照）のchap8フォルダーにある「send_mail_list.xlsx」というExcelファイルを、これから作るPythonファイルと同じフォルダーに配置してください。

　プログラムを作る前に、このExcelファイルの入力欄に必要な情報を入力します。「アプリパスワード」には先ほど生成した16桁のアプリパスワードを入力してください。

　これでExcelファイルの準備は完了です。なお、Excelのセル内で改行をするには Alt + Enter キーを押します。

メール送信を自動化するプログラム

それでは、Pythonプログラムを見てみましょう。

■ send_mail.py

```
001  from http import server
002  from email.mime.text import MIMEText
003  import smtplib
004  import ssl
005  import openpyxl
006
007
008  FROM_ADDRESS_CELL = [2, 3] ················· 送信元Gmailアドレスのセル
009  PASSWORD_CELL = [3, 3] ·························· アプリパスワードのセル
010  READ_START_ROW_NO = 6 ······················· データ読み込みを開始する行
011  TO_ADDRESS_COL_NO = 2 ······················· 宛先メールアドレスの列
012  SUBJECT_COL_NO = 3 ·························· メール件名の列
013  BODY_COL_NO = 4 ·························· メール本文の列
014
015  book = openpyxl.load_workbook('send_mail_list.xlsx')
016  sheet = book.active
017  from_address = sheet.cell(*FROM_ADDRESS_CELL).value ······ 引数をアンパック
018  password = sheet.cell(*PASSWORD_CELL).value ····················· 引数をアンパック
019  to_address_list = [] ····························· 宛先メールアドレスを格納するリスト
020  subject_list = [] ····························· メール件名を格納するリスト
021  body_list = [] ····························· メール本文を格納するリスト
022  for row_no in range(READ_START_ROW_NO, sheet.max_row+1):
023      to_address = sheet.cell(row_no, TO_ADDRESS_COL_NO).value
024      subject = sheet.cell(row_no, SUBJECT_COL_NO).value
025      body = sheet.cell(row_no, BODY_COL_NO).value
026      if to_address is None: ················· 宛先メールアドレスが空白である場合
027          break ································ そこで繰り返し処理を終了
028      body = body.replace('\n', '<br>') ··············· 改行コードを置換
029      to_address_list.append(to_address)
030      subject_list.append(subject)
031      body_list.append(body)
032  server = smtplib.SMTP_SSL( ······························· Gmailのサーバーに接続
033      'smtp.gmail.com', 465,
034      context=ssl.create_default_context())
035  server.set_debuglevel(0)
```

```
036   server.login(from_address, password) ............... Gmailアカウントにログイン
037   for i in range(len(to_address_list)):
038       message = MIMEText(body_list[i], 'html')
039       message['From'] = from_address
040       message['Subject'] = subject_list[i]
041       message['To'] = to_address_list[i]
042       server.send_message(message)
```

必要なライブラリとデータの用意

1行目から5行目までは必要なライブラリをインポートしています。見慣れないライブラリが並んでいますが、今まで使ってきたopenpyxl以外はすべて標準ライブラリですので、pipコマンドを使ったインストール作業は不要です。

■ send_mail.py

```
001   from http import server
002   from email.mime.text import MIMEText
003   import smtplib
004   import ssl
005   import openpyxl
```

8行目から13行目ではこれまで見てきたプログラムと同様に、データを読み込む行や列を定数で指定しています。送信元Gmailアドレスとアプリパスワードについては、行番号と列番号を格納するリストでセルを指定してします。

■ send_mail.py

```
008   FROM_ADDRESS_CELL = [2, 3] ................. 送信元Gmailアドレスのセル
009   PASSWORD_CELL = [3, 3] ..................... アプリパスワードのセル
010   READ_START_ROW_NO = 6 ...................... データ読み込みを開始する行
011   TO_ADDRESS_COL_NO = 2 ...................... 宛先メールアドレスの列
012   SUBJECT_COL_NO = 3 ......................... メール件名の列
013   BODY_COL_NO = 4 ............................ メール本文の列
```

17行目、18行目では、リスト型の定数FROM_ADDRESS_CELLとPASSWORD_CELLがcellメソッドの引数として渡されていますが、名前の前に「*」(アスタリスク)があることに注目してください。これを引数のアンパックといいます。

リスト名の前にアスタリスクを付けることで、リストそのものではなくその中の要素を1つずつ引数として渡せます。引数として渡したい値がリストやタプルにまとめ

られている場合に使えるワザです。今回のコードでは、FROM_ADDRESS_CELLを
アンパックして数値型の2と3が、PASSWORD_CELLをアンパックして数値型の3
と3が引数として渡されます。

アンパックしないと… [2, 3]

sheet.cell(FROM_ADDRESS_CELL).value ➡リストがそのまま渡される

アンパックすると… [2, 3]

2　3

sheet.cell(*FROM_ADDRESS_CELL).value ➡リストの要素が抜き出されて
　　　　　　　　　　　　　　　　　　　　渡される

■ send_mail.py

```
017  from_address = sheet.cell(*FROM_ADDRESS_CELL).value ┄┄┄ 引数をアンパック
018  password = sheet.cell(*PASSWORD_CELL).value ┄┄┄┄┄┄┄┄ 引数をアンパック
```

メールを送信するための準備

　22行目から31行目のfor文では、range関数 (P.56参照) を使って入力されている
宛先の情報を1行ずつ読み込んでいます。まずは23行目から25行目で、宛先メール
アドレス、件名、本文が記入されたセルを読み込んでそれぞれ変数に格納します。も
し宛先のアドレスが記入されていなかった場合は、27行目でbreak文 (P.100参照) が
実行され、繰り返し処理が終了します。

■ send_mail.py

```
022  for row_no in range(READ_START_ROW_NO, sheet.max_row+1):
023      to_address = sheet.cell(row_no, TO_ADDRESS_COL_NO).value
024      subject = sheet.cell(row_no, SUBJECT_COL_NO).value
025      body = sheet.cell(row_no, BODY_COL_NO).value
026      if to_address is None: ┄┄┄┄┄┄┄┄┄ 宛先メールアドレスが空白である場合
027          break ┄┄┄┄┄┄┄┄┄┄┄┄┄┄┄┄┄ そこで繰り返し処理を終了
```

　28行目ではreplaceメソッド (P.36参照) で文字列の置換を行っています。これは
send_mail_list.xlsxの「メール本文」セル内の改行を、Gmail上でも表示するための処

理です。

　Excelのセル内で改行したとき、Excel内部では「\n」という改行コードが入力されています（環境によっては¥nと表示されることもありますが同じものです）。改行コードとは、コンピューターに改行の指示を出すための制御文字のことです。

■ Excel上の表示

お世話になっております。
○○株式会社の△△です。

■ Excel内部での扱い方

お世話になっております。\n○○株式会社の△△です。

　しかし、この文章をそのままコピーしても、Gmail側は「\n」を改行コードだと判断してくれません。というのも、この後の行でMIMETextというクラスを使って、HTML形式のメールデータを用意するからです。HTMLにおける改行はP.175で紹介した通り
タグです。そこで、replaceメソッドを使って「\n」を
タグに変換します。

Excel

お世話になっております。\n○○株式会社の△△です。

body = body.replace('\n', '<br>')

Gmail

お世話になっております。
○○株式会社の△△です。

　29行目から31行目で、宛先メールアドレスとメール件名、先ほど改行コードを変換したメール本文をそれぞれリストに追加して、繰り返し処理は完了です。

Gmailサーバーに接続

　32行目からはGmailサーバーに接続する処理を行っています。Gmailではメール送

信時にSMTP認証が必要で、さらに通信はSSL/TLSを利用して暗号化する必要があります。これをSMTP over SSL/TLS (SMTPs) といいます。

SMTPとは「Simple Mail Transfer Protocol」の略で、メールを「送信」するためのプロトコル (規約) のことです。また、SSLやTLSは暗号化プロトコルのことであり、SSLは「Secure Socket Layer」、TLSは「Transport Layer Security」の略です。これらの仕組みを使うことで、インターネット上の通信を暗号化した状態で行うことがき、セキュリティの向上が狙えます。

ここまでをまとめるとSMTPsとは、メール送信に関わる通信をSSL/TLSを使って暗号化する仕組みのことだといえます。

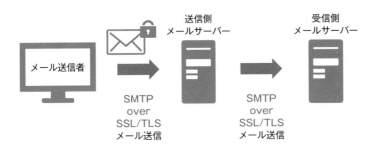

そして、PythonでSMTPsを扱うために使うのが、smtplibモジュールのSMTP_SSLクラスです。このクラスのデータを作るために、プログラムでは次の3つの情報を指定しています。

・ SMTPサーバー (smtp.gmail.com)
・ SMTPサーバーのポート番号 (465)
・ SSLコンテキスト (context=ssl.create_default_context())

ポート番号とは通信を行う機器が持つドアの番号のようなものです。コンピューターやサーバーはポートというドアからデータをやり取りしますが、メール、インターネットなど利用するサービスごとに異なるポートを使用します。今回の場合では、GmailのSTMPサーバーは465番のドアを開けてSSL/TLS通信が来るのを待っている、とイメージするとよいでしょう。

SSLコンテキストの指定は必須ではありませんが、このように指定することでより安全な通信が可能となります。

■ send_mail.py

```
032  server = smtplib.SMTP_SSL( ················ Gmailのサーバーに接続
033      'smtp.gmail.com', 465,
034      context=ssl.create_default_context())
```

36行目では送信元のGmailアドレス、取得したアプリパスワードを使ってGmailにログインします。

■ send_mail.py

```
036  server.login(from_address, password) ················ Gmailアカウントにログイン
```

37行目からのfor文では宛先アドレスの件数だけ繰り返し処理を行い、メールを送信していきます。38行目にはMIMETextというクラスが使われています。MIMETextとは、Python標準のemailモジュールに収録されているクラスです。Textとあるように、メール内のテキストデータを作成するために使われます。

ちなみにMIMEは「Multipurpose Internet Mail Extensions」の略で、メール送信に関する規格の1つです。電子メールはもともと英語しか使えませんでしたが、英語以外の言語や、画像や動画などさまざまな形式のデータを送信できるようにしたのがこの規格です。

このプログラムではまず38行目で、メール本文のデータを使ってMIMETextクラスのデータを作成します。2つめの引数で指定している「html」は、「HTMLメールのテキストを作る」という意味です。39行目から41行目では、作成したMIMETextに対して送信元、件名、宛先のデータを設定します。これでメールを送信するための準備が完了しました。

■ send_mail.py

```
037  for i in range(len(to_address_list)):
038      message = MIMEText(body_list[i], 'html')
039      message['From'] = from_address
040      message['Subject'] = subject_list[i]
041      message['To'] = to_address_list[i]
```

最後に42行目で、send_messageメソッドを使ってメールを送信して終了です。

■ send_mail.py

```
042        server.send_message(message)
```

プログラムを実行

　プログラムが完成したら実行して、実際にGmailが届くかどうかを確認しましょう。テスト時はいきなり他人に送信するのではなく、まずは自分宛てに送ると安全です。send_mail_list.xlsxに記入した内容通りのメールが届いていれば成功です。

　その際、プログラム35行目で指定したデバッグレベルにより、どの程度ログ（実行中の処理内容）がコマンドライン上に表示されるかが異なります。今回は「0」を指定しているため途中の処理内容は表示されませんが、もしエラーが発生してその原因を突き止めたい、ということであれば「1」を指定しましょう。1にすることでサーバーとの送受信の記録が表示されるようになります。さらに「2」にすることで、1の内容にタイムスタンプ（時刻表示）が付きます。状況に応じて使い分けるようにしましょう。

　なお、ログからエラーの原因を突き止めたい際は、表示されたエラーメッセージなどを検索してみてください。Pythonはユーザー数の多い人気の言語なので、解決のヒントが見つかるかもしれません。

■ send_mail.py

```
035   server.set_debuglevel(0)
```

■ debug_levelが0のとき

```
ログは表示されない
```

■ debug_levelが1のとき

```
reply: retcode (250); Msg: b'smtp.gmail.com at your service, [2400:4050:9140:f000
:f903:807:c041:d2a3]\nSIZE 35882577\n8BITMIME\nAUTH LOGIN PLAIN XOAUTH2 PLAIN-
CLIENTTOKEN OAUTHBEARER
```

■ debug_levelが2のとき

```
16:57:40.127351 reply: retcode (250); Msg: b'smtp.gmail.com at your service,
[2400:4050:9140:f000:f903:807:c041:d2a3]\nSIZE 35882577\n8BITMIME\nAUTH LOGIN
PLAIN XOAUTH2 PLAIN-CLIENTTOKEN OAUTHBEARER
```

メール本文を装飾する

　最後に、HTMLタグを使ってメール本文を装飾する方法を紹介します。

　このプログラムではExcelファイルに記載されたテキストをHTML形式でメール
データに変換しているので、HTMLタグを使ってメール本文をある程度装飾するこ
とができます。

　次のようにsend_mail_list.xlsxの「メール本文」セル内で、装飾したい文字を開始
タグと終了タグ（P.175参照）で囲むと文字を装飾できます。ここでは<b>タグを使っ
てフォントを太字にしたり、<u>タグを使って下線を引いたりしています。

■ send_mail_list.xlsx「メール本文」セル

```
平素は、当社サービス「○○」をご利用いただきまして、誠にありがとうございます。
この度、利用者<b>1万人</b>を突破したことを記念し、<u>キャンペーンを開催いたします</
u>。
```

■ 届いたメール

平素は、当社サービス「○○」をご利用いただきまして、誠にありがとうございます。
この度、利用者**1万人**を突破したことを記念し、<u>キャンペーンを開催いたします</u>。

リブロワークス

書籍の企画、編集、デザインを手がけるプロダクション。取り扱うテーマはSNS、プログラミング、WebデザインなどIT系を中心に幅広い。最近の著書は『今すぐ使えるかんたんEx Excel関数 ビジネスに役立つ! プロ技BESTセレクション』(技術評論社)、『スラスラ読める Pythonふりがなプログラミング スクレイピング入門』(インプレス)、『ビデオ会議&ウェビナーまるわかり Zoom実用ワザ大全』(日経BP)など。
https://www.libroworks.co.jp/

Python×Excelで作る
かんたん自動化ツール

2022年6月27日　第1版第1刷発行
2023年6月21日　第1版第3刷発行

著　　　者	株式会社リブロワークス
編　　　集	田村規雄(日経PC21)
発　行　者	中野 淳
発　　　行	株式会社日経BP
発　　　売	株式会社日経BPマーケティング
	〒105-8308　東京都港区虎ノ門4-3-12

装　　　丁	小口翔平+畑中 茜(tobufune)
本文デザイン	桑原 徹+櫻井克也(Kuwa Design)
制　　　作	株式会社リブロワークス
印刷・製本	図書印刷株式会社

ISBN978-4-296-11250-0

©LibroWorks Inc. 2022
Printed in Japan

本書の無断複写・複製(コピー等)は著作権法上の例外を除き、禁じられています。購入者以外の第三者による電子データ化及び電子書籍化は、私的使用を含め一切認められておりません。

本書籍に関するお問い合わせ、ご連絡は下記にて承ります。
https://nkbp.jp/booksQA